司法警官职业教育系列教材

新编人民调解工作技巧

王红梅　编著

中国政法大学出版社

司法警官职业教育系列教材
编 审 委 员 会

主　　任：黄兴瑞

副 主 任：金　川

委　　员（以姓氏笔画为序）：

马　强　白　彦　李龙景

严浩仁　杨　林　张志成

郭　明　赵　英　祝成生

徐荣昌　钱跃明

编 写 说 明

为了适应司法警官高等应用性专门人才培养的客观需要，适应司法警官高等教育改革和发展的要求，在中国政法大学出版社的大力支持下，浙江警官职业学院组织编写出版了一套司法警官职业教育系列教材。

本套教材分为刑事执行、行政执行、司法警务、安全防范、法律事务、警务基础等六大类。教材编写根据司法警官高等职业院校人才培养目标和教育部对高职院校"突出实践应用能力培养、理论知识以必需够用为度"的教学要求，着重解决司法警官院校特有专业教材缺少的问题，同时积极进行精品（重点）课程教材建设，努力培育特色教材。在教材内容上，力求体现：

1. 时代性。本套教材以最新法律法规的规定为依据，努力吸收当前国内相关的最新学术理论研究成果，注意借鉴国外有关的研究成果，结合社会和行业实际发展，具有较强的时代性。

2. 实用性。本套教材在编写过程中贯彻实用性原则，坚持理论联系实际，采取理论研究与行业实际及实例说明相结合的形式，强调尽量满足学以致用和职业技能训练要求。在实例的选用上，均注重选用相关行业的实际案例，并经分析、整合、提炼后体现在文本中，以便学习者更易于接受。

3. 系统性。本套教材充分考虑到学科知识体系的相对完整性，注重对相应学科中的基本概念、基本原理和基本实务问题的分析和阐述，力求释义准确，论点明确，重点突出，结构严谨，逻辑严密，便于学生系统的学习和掌握相关知识点。

4. 通俗性。教材作者立足警官院校的实际，针对高职学生的特点，力求运用通俗易懂、简明流畅的言语或简单的案例来阐释理论，尽量做到可读、易懂。

本套教材适用于全日制警官高等职业院校相关专业，也可供其它院校及相关行业从业人员作为教学、业务培训、自学用书。

本套系列教材（第一期）将在 2005－2007 年间陆续与大家见面。由于教材编写是一项复杂的系统工程，任务繁重，时间紧迫，因此不足之处在所难免，我们真诚地希望得到广大师生、读者的厚爱、谅解、批评和指正，以使本套教材不断修改、充实和完善，更好地为警官高等教育事业服务。

司法警官职业教育系列教材编审委员会
2005 年 9 月

前　言

　　人民调解制度是一项富有中国特色的法律制度。人民调解则是由依法设立的人民调解委员会的主持下，在当事人自愿的基础上，依照国家法律、法规、规章和政策，通过说服教育、耐心疏导，促使当事人互相谅解，自愿达成协议，从而消除纷争的一种群众性的自治活动，它是我国社会主义基层法制的重要手段之一，是社会治安综合治理的第一道防线。在我国多层次、多元化的社会矛盾纠纷解决机制中，人民调解具有遍布基层、深入群众、便捷、灵活、不收费等独特的优势和促进社会和谐、促进社会主义民主法治进程等无法替代的作用。尤其是因人民调解符合人民内部矛盾是在根本利益一致基础上的矛盾的客观实际，符合我国民间长期形成的"和为贵"、"息讼"等追求和谐的民族社会心理和历史文化传统，且注重在不打破原有的人际关系和社会结构的基础上"合情、合理、合法"地消除纷争，人民群众之间有关人身和财产方面的争执，大多愿意找人民调解委员会协调解决，这有利于实现建构和谐社会的目标理想。人民调解工作在维护社会稳定和公民合法权益、促进"两个文明"建设等方面的作用得到各级党委、政府的重视与支持。2002 年最高人民法院、司法部联合召开全国人民调解工作会议，并颁布实施了《关于审理涉及人民调解协议的民事案件的若干规定》和《人民调解工作若干规定》的举措，表明了人民调解已被定位为民间纠纷解决的主流手段。

　　经过多年的发展，人民调解员队伍无论是在数量与质量上都有了长足的发展，广大人民调解员受到基层群众的尊敬与爱戴。但与整个社会已进入矛盾多发期以及人民调解在社会纠纷解决机制中日臻显要的现状相比，人民调解员队伍的数量与素质仍明显与之不相适应，整个队伍还存在着兼职人员太多、文化层次偏低、年龄结构不合理、业务能力与水平有待于进一步提高等问题，尤其是部分调解人员理解与适用法律的能力不够，使得人民调解的实际效果与社会公信力大打折扣。现实呼唤一大批有一定专业水平的、相对专职的调解员充实到这支队伍中去。而培养一批具备一定的人民调解工作技巧的基层法律服务者，进而培养一批具有职业色彩的、业务素质较高的人民调解员，也是法律事务专业的人才培养目标之一。鉴于此，人民调解工作技巧是每位有志于从事基层法律服务的同学理应掌握的一项必备技能。通过这门课的教学，并结合校内外实训基地的实践训练，期望能使掌握人民调解工作制度的基本理论，熟悉人民调解工作的一般流程，并培养一定的人民调解工作技巧，为其今后介入基层法律服务工作奠定基础。而教材是教学的不可或缺的物质基础，采用针对性强、适合于教学对象的教科书更是达到教学目的的重要途径。目前国内外尚无适用于高职层次法律类专业的同类教材，虽有个别其他的工作指南或实用手册，但题材与体例均较陈旧。在广泛调研，总结人民调解工作实践经验的基础上，作者吸收借鉴了司法界的最新成果，以近年来全国人民调解会议的精神为指南，编写了这一套题为《新编人民调解工作技巧》的教材，以备教学之需。

本教材最突出的创新之处主要体现在两方面：

1. 题材较新颖。一方面，本教材大量吸纳了调整人民调解的最新的法律法规与司法解释和司法界、学术界最近的理论研究成果，介绍了我国最新的人民调解制度及其研究近况；另一方面，本书也本着与时俱进的精神，密切关注党和政府关于人民调解工作的政策动向，并及时将最新的政策信息传诸读者。

2. 体例较新颖。本教材由制度编和实务编敷演而成，力求系统、准确地阐述该学科的基本原理、基础知识，既介绍了我国最新的人民调解制度，又提供一些实践中常用的人民调解技巧，还大致描述了我国人民调解制度发展的全貌并预测了其今后的改革方向和发展趋势，希望能做到科学性、系统性和实用性的统一。在编写时坚持理论联系实际的原则，采纳理论研究与实例说明相结合的方式，在教学过程中可将此两者相互对照，通过具体生动的调解事例，分析总结调解人员使用的调解技巧，以增进教学效益。由于政策导向的关系，关于人民调解的地位、作用，以及人民调解的发展和完善的阐述，占据了本书一定的篇幅。

本书既可为基层法律服务方向的学生学习人民调解工作技巧的范本，也可满足人民调解工作的实践部门和人员参考之便利。

由于时间仓促，经验有限，这门课程的教学体系也在不断探索的过程中，写作时作者时有捉襟见肘之感，错误与缺憾在所难免。衷心期望各位专家与同仁批评指正。

作　者

2006 年 5 月

目　录

上编　基础知识编

下编　实务技巧编

上编　基础知识编

人民调解工作是政法工作的第一道防线。

——刘少奇

第一章 人民调解概述

第一节 调 解

调解作为处理纠纷和争端的方法之一，是随着人类社会的出现而产生的，对于人们在物质生产生活的过程中产生的矛盾和纠纷，需要采取包括调解在内的方法来解决。

一、调解的概念

调解是解决纠纷的一种重要机制。《中国大百科全书》（法学卷）对调解的含义作了如下解释：双方或多方当事人之间发生民事权益纠纷，由当事人申请，或者人民法院、群众组织认为有和好的可能时，为了减少讼累，经法庭或者群众组织从中排解疏导，说服教育，使当事人互相谅解，争端得以解决，是谓调解。

在中文著述中，具有代表性的调解的定义还有：

1. 调解是在第三方主持下，以国家的法律、法规、规章和政策以及社会公德为依据，对纠纷双方进行斡旋、劝说，促使他们互相谅解，进行协商，自愿达成协议，消除纠纷的活动；[1]

2. 调解是指双方发生纠纷时，由第三者出面主持，依据一定的规范，用说服、教育、感化的方式进行劝解、说和，使当事人双方深名大义，互谅互让，协商纠纷解决，以息事宁人、和睦相处，维护社会的安定与和谐；[2]

---

〔1〕 江伟、杨荣新：《人民调解学概论》，法律出版社 1994 年版。
〔2〕 胡旭晟、夏新华："中国调解传统研究———一种文化的透视"，载《河南政法管理干部学院学报》2000 年第 4 期。

3. 调解是在第三方协助下进行的，当事人自主协商性的纠纷解决活动；[1]

4. 调解是一种自愿的、非约束性的、私人的争议解决程序；[2]

5. 调解是由作为调解人的第三者应争议当事方的请求，尽量协调当事方的分歧，并达成和解协议而解决争议的一种方式；[3] 等等。

综合上述定义，我们认为，通俗地讲，调解是指由一定的组织或个人，依据一定的标准，居于纠纷的双方当事人之间，劝导他们自愿达成和解的活动。

二、调解的特征

调解具有如下区别于其他争议解决方式的基本特征：

1. 调解的主持者是纠纷双方当事人以外的第三方。这里的第三方，在原始社会是民族、部落组织或其内部有威望者；在阶级社会是政府组织，司法组织或者公民个人。与协商谈判相比较，调解最大的特点就是在于中立第三方的协助。第三方的协助对当事人之间纠纷的解决具有重要作用。在调解实践中，为保证第三人的中立性，通常第三人应当遵守一定的行为规则，同时，当事人也拥有对第三人的选择权。

2. 调解的程序和使用的规范具有广泛选择性。作为一种程序便捷的纠纷解决方式，调解无须遵循严格的程序，当事人可以根据纠纷的特点、彼此的关系以及各自的需要选择使用适当的程序。调解时须遵循一定的准则，这里的准则，在原始社会是当时的风俗习惯，在阶级社会是国家的法律和社会公德，调解必须符合法律和政策。但调解所适用的规范相对灵活，除依据现行法律法规外，调解还可以以各种有关的社会规范作为解决纠纷的依据和标准，如地方惯例、行业标准、乡规民约、公共道德准则、通行的公平原则等。

3. 调解的进行以纠纷当事人的自愿为前提。调解的启动、调解规则的适用、调解员的选定、调解程序的进行以及调解结果的履行等都取决于当事人的共同意愿。要由纠纷双方当事人自愿决定对纠纷是否调解，调解后是否能和解要由双方当事人自愿决定。调解主持者不得对纠纷双方当事人实行强制调解或强制达成协议。实践中所谓的强制性调解，也不应理解为侵害了调解的合意本质，因为调解协议的达成及其履行仍取决于当事人的自愿。当事人达成的调解协议具有契约性，至于调解协议是否具有司法性，取决于具体调解机构的性质和各国的立法与

---

〔1〕 范愉：《非诉讼纠纷解决机制研究》，中国人民大学出版社 2000 年版。

〔2〕 王长生：《仲裁与调解相结合的理论与实务》，法律出版社 2001 年版。

〔3〕 尹力："调解含义界说"，载《贵州师范大学学报（社会科学版）》2004 年第 4 期。

实践。

4. 调解采用的是说服教育的方法，这与审判、行政决定等其他方式采用仰赖国家强制力解决纠纷的方法大相径庭。

三、调解的种类

按照我国法律规定，调解可分为：

1. 民间调解。民间调解是指在非司法和非行政的民间组织、团体或个人主持下进行的调解。民间调解中最重要的组成部分人民调解在《宪法》、《民事诉讼法》、《人民调解委员会组织条例》等法律中都有规定。在我国，律师调解和仲裁调解本质上也属于民间调解的范畴。

2. 行政调解。行政调解是国家行政机关依照法律规定，调解解决某种特定纠纷的活动。比如，2002 年 9 月 1 日国务院颁布的《医疗事故处理条例》把行政调解作为解决医疗纠纷的必经程序。行政调解在《合同法》、《治安管理处罚法》、工商行政管理法规等法律文件中有规定。

3. 法院调解。法院调解是人民法院处理民事案件、经济纠纷案件和轻微刑事案件的一种诉讼活动。法院调解在《民事诉讼法》和《刑事诉讼法》中有规定。

按照调解的主体，调解可分为：人民调解委员会主持的调解；人民政府主持的调解；人民法院主持的调解；公民个人主持的调解。

按照调解是否在诉讼的活动中进行，调解可分为：诉讼外的调解和诉讼内的调解。顾名思义，诉讼内的调解是人民法院主持的调解，其余调解均为诉讼外的调解。

第二节　人民调解

一、人民调解的概念

在日常生活中，我们时常在两个不同的层面上使用人民调解这一语词。"人民调解"在不同的场合具有不同的含义。

1. 有时，人民调解是指一种群众性的社会活动。作为群众性社会活动的人民调解，是 19 世纪 20 年代在中国出现的一种独特的调解方式，是指作为基层群众性的组织的人民调解委员会，依据一定标准居中教育、疏导纠纷当事人自愿达成和解协议的活动。本章便是在这一意义上使用"人民调解"这一词的。

2. 有时，人民调解是指一种法律制度。作为法律制度的人民调解，是指从中国古代社会的诉讼外调解演化发展而来的，运用说理、疏导的方式来排解民间纠纷的群众性自治制度，也是我国重要的排解民间纠纷的法律制度形式。[1] 例如，"人民调解是我国法律制度体系的重要组成部分"，在上述句子里面"人民调解"指的就是一种法律制度。

另一个与人民调解有密切关联的概念是民间调解。民间调解主要是指正式法律实施领域之外的社会生活中的纠纷解决方式。就性质而言，民间调解是公民之间进行的一种自助行为，民间调解的范围以公民个人之间发生的一些生活性纠纷为主，其形式有宗族调解、亲友调解、乡里调解、社区调解和行会调解等，主要是建立在血缘、亲缘、地缘和业缘关系的基础之上的。至于人民调解是否属于民间调解的范畴，学界亦有肯定与否定的两种观点，前者认为人民调解属于民间调解，后者认为人民调解与民间调解之间不存在包含与被包含的关系。从《人民调解工作若干规定》等几个法律文件的精神看，显然采纳的是肯定说，即认为人民调解是民间调解的一个重要组成部分。如《人民调解工作若干规定》第22条第2项规定人民调解委员会不得受理调解法律、法规禁止采用民间调解方式解决的纠纷，此为立法上将人民调解视为民间调解的明证之一。在理论上，人民调解制度的基础是民间性，不应该带有任何官方色彩，尤其应该克服"官办化"或者"半官办化"倾向；而除了人民调解的性质带有民间性以外，其调解的范围也属于民间调解的范围，调解的方式与手段的多样性、灵活性也与民间调解相仿，但传统的民间调解天然具有反程序倾向，相比较而言，人民调解比传统的民间调解更强调程序与步骤的规范性。因此，可以说人民调解是一种特殊的民间调解。

二、人民调解的基本特征

人民调解既具备调解的一般特征，也具有自身的特征：

1. 人民调解的主持者是作为基层群众性自治组织的人民调解委员会。它排除了国家行政机关和人民法院主持的调解，也不同于民间存在的个人出面进行的调解。

---

[1] 秦国荣："人民调解制度的现代意义分析"，载《新疆大学学报（社会科学版）》2002年第2期。

2. 人民调解委员会进行调解时要依据一定的标准。这个标准是我国的法律和政策以及社会公共生活准则。

3. 人民调解的客体是发生在双方当事人之间的民间纠纷，如婚姻、邻里、房屋宅基地、生产经营等。

4. 人民调解的方法是教育、疏导。人民调解委员会往往以动之以情、晓之以理、明之以法的方法教育、疏导纠纷当事人，这种处理纠纷的方法既是由人民调解委员会的性质决定的，又是由纠纷的性质所决定的。

三、人民调解与其他类型调解的关系

人民调解虽然是调解的一种类型，但它与其他类型的调解有明显区别。

1. 调解的主持机构不同。人民调解的主持者为人民调解委员会；行政调解的主持者为负有调解职能的国家行政机关；法院调解的主持者为国家的审判机关——人民法院；民间调解的主持者为公民个人。

2. 调解的性质、表现形式和代表的法律关系不同。人民调解委员会的调解是人民群众自我教育、自我管理、自我约束的一种自治活动，调解人员与当事人之间是民主平等的关系；行政调解是负有调解职能的国家行政机关对合同等纠纷进行处理的一种行政管理活动，是国家赋予行政权的一种表现形式，调解人员与当事人之间一般都存在着一定的行政隶属关系；法院调解是人民法院审理民事案件和刑事自诉案件的一种诉讼活动，也是法院行使审判权的一种方式，调解人员代表法院依法与被调解人发生诉讼法律关系。

3. 调解的范围不同。人民调解的范围是民间纠纷，主要是公民间有关人身、财产权益和其他日常生活中发生的纠纷；行政调解的范围包括工商行政管理机关调解的纠纷、治安行政机关调解的纠纷、财税机关调解的纠纷和其他行政机关调解的纠纷；法院调解的范围是法院管辖的民商事案件和刑事自诉案件、刑事附带民事诉讼及行政损害赔偿案件。

4. 调解的协议效力不同。根据《关于审理涉及人民调解协议的民事案件的若干规定》的规定，人民调解协议的实质是平等主体的自然人、法人、其他组织之间设立、变更、终止民事权利义务关系的协议，人民调解委员会调解后达成协议具有强制力，但不具有直接的执行力；行政调解协议具有行政上的强制力，其中某些行政调解协议生效后即具有法律效力，是行政机关可采用行政手段强制履行的依据，也是权利人向法院申请强制执行的根据；法院调解协议是司法文书的一种，一经签署或送达当事人即发生法律效力，不得反悔，也不允许再向法院

起诉或上诉，其与判决书具有同等的法律效力，当事人双方必须全部履行，否则，人民法院将强制其履行。

包括人民调解在内的民间调解、行政调解和法院调解共同构成我国的调解体系。它们之间虽各有特点，但最终为同一个目标而服务。它们之间存在着密切的联系，其中，人民调解是法院调解的基础，有效地建立基层人民法院与各人民调解组织间的联通互动机制，使其在各自的执法活动中做到必要的衔接互补，对各自的职能有效开展起到促进作用。

第三节　人民调解的性质、地位和作用

一、人民调解的性质

人民调解是一种群众性、自治性的纠纷解决方式，其本质属性主要体现在其民间性、自治性和解决矛盾、化解纠纷这三个方面。

（一）民间性

人民调解的民间性是相对于其他调解的司法性与行政性而言的。正因其民间性，人民调解才能及时有效地对出现的矛盾和纠纷作出反应，对其他调控手段所力不能及的微观社会矛盾迅速加以调整，这正是社会有机体自我完善机制的突出表现。

（二）自治性

按照《宪法》和《民事诉讼法》的规定，人民调解委员会是在基层群众性自治组织的村民委员会或者居民委员会内部设立的，在基层人民政府和基层人民法院指导下，调解民间纠纷的基层群众性自治组织，其调解纠纷的活动是一种群众自治性活动。从法律上讲，人民调解组织是群众性组织，其工作理念、工作方法应该是以社会化、自治化为特征的，[1] 但是，目前我国社会自治程度较低，现代意义上的包括基层自治在内的各种自治性组织仍处于培养和发展的过程中，

---

〔1〕 周明海、吴静波："论人民调解与新时期人民内部矛盾的解决"，载《安徽电气工程职业技术学院学报》2005 年第 2 期。

其自治能力和自控能力相对较低,[1] 当前人民调解的社会化、自治化程度还不高。

（三）解决矛盾，化解纷争

这也是人民调解的首要任务。人民调解具有覆盖社会各方的网络组织优势，在矛盾排查、预防、化解控制方面具有其独特的功能。因此，人民调解属于基层民主法治建设的范畴，是人民群众解决矛盾、化解纷争，实行自我管理、自我教育、自我服务的一种社会自律机制。

二、人民调解的地位

人民调解的地位，是指人民调解在我国的法律地位。1954 年 3 月制定并颁布了《人民调解委员会暂行组织通则》，成为我国开展人民调解工作的统一的法律依据。1979 年 7 月颁布、1983 年 9 月修订的《人民法院组织法》、《民事诉讼法》中也都有关于人民调解工作的规定。1982 年 12 月颁布《宪法》明文规定在城市和农村设立人民调解委员会调解民间纠纷。这一规定肯定了人民调解制度的宪法地位。1989 年颁发的《人民调解委员会组织条例》，更加具体明确地规定了人民调解制度的地位和作用。2002 年最高人民法院通过的司法解释进一步明确了人民调解协议的性质和法律约束力，在最高人民法院与司法部联合召开的全国人民调解会议则奠定了人民调解是基层解决民间纠纷主流手段的地位。

（一）人民调解制度在社会主义法制中的地位

1. 人民调解制度是我国的重要法律制度之一。人民调解作为一项重要法律制度，不仅在法律上作明确规定，为了切实保证这一重要法律制度的贯彻实施，国家在体制上也设立了专管机关和调配了大量人员。人民调解委员会虽然是基层群众性自治组织，但不是自发性群众组织，而是国家宪法直接规定设立的在居（村）民委员会领导下的一个常设工作委员会，具有合法的、专门的组织形式和工作人员，有法定的工作程序和职能权限，其工作也直接接受基层人民政府和基层人民法院的指导。大量的民间纠纷都通过人民调解组织的调解在基层得到了解决。

2. 人民调解是我国解决民间纠纷的一项基本原则。人民调解在我国纠纷解

---

〔1〕 范愉："社会转型中的人民调解制度"，载《中国司法》2004 年第 10 期。

决机制中占有独特而重要的地位。由《民事诉讼法》的规定可看出，人民调解委员会的调解不是诉讼的必经程序，但对于民间纠纷，一般都应根据自愿原则通过人民调解委员会说服教育的方法调解解决，并规定当事人对调解达成的调解协议应当履行。在实践中，大部分民事纠纷也是经人民调解委员会调解解决的。

3. 人民调解是司法机关解决民间纠纷的有力助手，人民调解制度是我国司法制度的辅助。首先，在一个社会中，如何把纠纷处理的事务适当地分散到社会的各个部分去，在宏观的司法政策上是一个极为重要的问题，人民调解工作可将大量的民间纠纷化解于诉讼之外，对于减少民事案件数量，减轻基层法院压力，具有积极意义。人民调解与法院诉讼之间往往存在着此消彼长的关系。两者都是解决民间纠纷的有效方式，其根本目的是相同的。因此，如果人民调解委员会发挥的作用越大，那么在纠纷总数不变的情况下，人民法院受理案件的数量会相应减少。相反，如果人民调解委员会的作用得不到充分发挥，在纠纷总数不变的情况下，人民法院一审民事案件的受案总数会较快增加。[1] 在当前诉讼量与日俱增，法院不堪重负的情形下，鼓励当事人采用人民调解的方式调处纠纷，可以减少讼累，有利于法院提高办事效率。如果所有的纠纷都起诉到法院通过诉讼解决，人民法院根本无力承担。人民调解组织将大量的民间纠纷通过调解解决在基层，不仅方便了群众，也大大减轻了人民法院的审判工作压力。其次，各地的人民调解组织通过调解民间纠纷，防止民间矛盾激化，把纠纷解决在萌芽状态和基层，不仅可以大大减轻司法机关受理案件数量，更能有效防止"民转刑"，从而减轻司法机关的工作压力，保证司法机关对受理的案件，特别是对大案、要案的审理质量。反之，若任由民间纠纷发展下去，则要么当事人起诉到法院变成民事案件，要么会酿成刑事案件，给司法机关形成新的负担。再次，人民调解委员会调解案件的质量越高，越有利于提高人民法院的审判质量和效率；反之则对人民法院的审判工作起负面作用。如果人民调解的当事人达成的调解协议符合最高人民法院《关于审理涉及人民调解协议的民事案件的若干规定》第 4 条关于人民调解协议有效条件的规定，人民法院对调解协议进行审查后，应依法认定该调解协议有效。人民法院就不必再对原纠纷事实逐一核实，听取当事人的举证等，这必将提高人民法院审判工作的质量和效率。相反，如果调解协议具有最高人民法院《关于审理涉及人民调解协议的民事案件的若干规定》第 5 条规定的人民调解协议无效条件的，人民法院将依法认定调解协议无效。这必将增加人民法院的

---

〔1〕 杨永清："人民法院与法院诉讼关系之研究"，载《中国司法》2004 年第 2 期。

工作量，影响审判的效率。人民法院在审理涉及人民调解协议的民事案件时，只要调解协议不具备无效的情形，不具备可撤销或者可变更的情形，人民法院就应当认定调解协议有效，就应当按照调解协议的内容进行裁判。而调解协议所确认的结果与人民法院审判的结果越接近，就越能调动广大人民调解员的积极性，人民调解委员会的威信也就越高，其结果必然会使民间纠纷再分流一部分到人民调解委员会，减轻人民法院审判工作的压力。通过人民调解委员会高质量的调解和人民法院对这类案件的公正审理，必将促进人民调解和法院诉讼之间的良性互动。

（二）人民调解制度在社会主义民主中的地位

1. 人民调解制度是适应人民民主的需要而产生和发展的。随着人民调解制度在全国的普遍建立，它在实现和发展社会主义民主及群众自己管理自己的事务中，发挥了重要作用。

2. 人民调解制度是实现社会主义直接民主的一种重要形式。这是人民群众运用自己的力量，在一定范围内直接、实际地对国家和社会事务进行管理。

（三）人民调解在社会综合治理中的地位

1. 人民调解组织是社会治安综合治理的重要基层组织之一。搞好人民调解组织，有利于把社会治安综合治理的各项措施落实到基层，形成一个上下结合、齐抓共管、群防群治的局面。

2. 人民调解队伍是社会治安综合治理的一支重要力量。①社会治安综合治理是一项需要全社会共同参与的系统工程，而人民调解人员是其中的一支重要力量。他们不仅有庞大的队伍，而且广大调解人员工作在基层，生活在群众中，联系着数以亿计的人民群众，他们可以充分利用和发挥其地熟、人熟、情况熟的特点和优势，将广大群众动员组织到社会治安综合治理的行列中来。②当前的犯罪不少是由于民间纠纷激化引起的。大力加强人民调解工作，及时预防纠纷、排查纠纷、妥善处理纠纷，就能很好预防和大大减少这类犯罪的发生。我国的司法机关对民间纠纷和犯罪的预防虽然也能够起到巨大作用，是搞好社会治安的主要力量，但由于对问题发现不及时或不了解，有时很难做到对症下药，因此，人民调解是搞好社会治安综合治理的一项重要治本措施。[1]

―――――――――――

〔1〕 翟东堂："人民调解制度的社会功能及其完善"，载《商丘师专学报》1999 年第 3 期。

三、人民调解的作用

1. 人民调解具有促进社会主义物质文明建设的作用。民间纠纷的发生，对经济的发展有很大的负面效应。建设社会主义物质文明，需要有一个良好的生产、生活秩序和社会环境，需要及时解决生产、流通领域里产生的各类纠纷，需要最大限度地调动人民群众的生产建设积极性。通过人民调解组织的调解活动妥善解决各类纠纷，能给生产建设创造一个良好的环境，使劳动者最大限度地发挥主观能动性，达到与生产力其他要素的最佳结合，保证生产经营的顺利进行，直接促进生产和经济的繁荣。

2. 人民调解具有促进社会主义精神文明建设的作用。不知法、不懂法和落后的思想意识是产生各种民间纠纷乃至犯罪的重要原因之一。根据《人民调解工作若干规定》第3条第2项的规定，通过调解工作宣传法律、法规、规章和政策，教育公民遵纪守法，尊重社会公德，预防民间纠纷的发生是人民调解委员会的任务之一。人民调解组织调解的各种纠纷，都涉及道德、纪律、法律等方面的问题，人民调解组织调解纠纷的过程，就是向当事人及周围群众进行道德、纪律、法制宣传教育的过程。这对促成良好道德风尚的形成，有效地遏制犯罪，进而促进社会主义精神文明建设起到了重要作用。

3. 人民调解具有促进民主法治建设进程的作用。作为现代调解制度重要组成部分的人民调解制度是建立在市场经济和民主政治基础上的，反映了现代市场经济和民主政治的法治要求，有利于法治的实现。与很多人的设想不同，人民调解非但不是法治的对立面，不但不会阻滞法治进程，蚀损法治精神，恰恰相反，人民调解具有与法治的亲和性，它可以成为法治发展的促进性力量。[1] 人民调解是在坚持和强调自愿、合法的基础上解决纠纷的，反映了现代市场经济条件下私法自治或私权自治的要求，体现了对当事人权利的尊重，尤其是对当事人意思自治权的尊重。法治是以确立法律至上原则，对权力进行限制和控制、对权利进行确认和保障为构成要素的，人民调解符合了保障权利这一法治的核心要素的要求。人民调解的当事人通过人民调解组织的依法调解来解决纠纷，这一制度的确立和实施，有利于培养公民对法律的情感和信仰，而公民对法律的情感和信仰正是实现法治的一个前提条件。

4. 人民调解具有缓解和消除社会矛盾，改善人际关系，促进社会和谐的作

---

〔1〕 韩波："人民调解：后诉讼时代的回归"，载《法学》2002年第12期。

用。人民调解体现了强调和追求和谐的中国传统法律文化，这种和合文化对于调节人际关系，促进社会的稳定有序发展具有不可低估的积极作用。这种主张社会本位、追求秩序和谐的基本理念，反映了中国人对他人、社会、国家利益的切实关心和注重人情温暖的伦理观念，这对于指引社会成员行为的理性化，防止和减少社会矛盾冲突，形成和谐稳定的社会秩序是有非常积极的意义的。[1] 人民调解的出发点就是为了能建立形成良好的社会人际关系，使社会各阶层的利益主体在争取自身利益的同时，兼顾对方当事人的利益及社会公共利益，并做到在分清是非曲直的基础上，达到既维护当事人的合法权益，也维护社会稳定和形成良好人际关系的目的。目前，全国调解组织每年调解各类纠纷 600 余万件，制止群众性械斗 3 万余起，防止群体性上访 4 万多起，涉及 100 多万人，防止民间纠纷激化为刑事案件 6 万多件，防止民间纠纷引起自杀 4 万多人。大量的民间纠纷通过人民调解解决在基层，使成千上万个家庭和个人，消除了隔阂，改善了关系，增强了团结，这对整个社会的安定团结，具有重要作用。

5. 人民调解具有政法工作第一道防线的作用。刘少奇同志在 1957 年曾说过："人民调解工作是政法工作的第一道防线。"

（1）人民调解可以有效地预防矛盾的激化，有助于将矛盾及时、有效地控制在萌芽状态，能够预防犯罪，减少犯罪的发生和协助公安、检察机关发现犯罪、打击犯罪。

（2）在社会矛盾纠纷解决机制中，人民调解是"第一道防线"，法院诉讼是最终和最权威的"最后一道防线"，换言之，应当让诉讼外解纷机制化解大部分民间纠纷，只有在其他途径无法解决的时候，才能借助于国家强制力来解决。"如果一个社会完全靠国家强制力来化解矛盾，维护稳定，那么这个社会是不健全的，这种稳定是脆弱的，执政的成本也是昂贵的。"[2] 将民间纠纷通过人民调解工作化解在第一线，有利于建立和运用社会稳定的长效机制，是件利国利民的好事。

6. 人民调解具有沟通党和人民政府与人民群众相互联系的渠道作用。

（1）按照我国《村民委员会组织法》的规定，村民委员会的任务之一，是向人民政府反映村民的意见、要求和提出建议，人民调解委员会是村（居）民委员会的一个组成部分，对村（民）民委员会的规定，也当然适用于人民调解

---

〔1〕 秦国荣："人民调解制度的现代意义分析"，载《新疆大学学报（社会科学版）》2002 年第 2 期。

〔2〕 胡泽君："人民调解工作的改革与发展"，载《国家行政学院学报》2003 年第 6 期。

委员会。这就在党和人民政府与人民群众的相互关系上起了桥梁作用。

（2）人民调解组织是一个巨大的社会信息网络，也是一个庞大的信息传导体系。通过它，党和政府可以及时获得大量来自基层和群众的各种信息，这就为党和政府制定、修改政策法律，进行各种决策提供了依据。

第四节　人民调解的历史渊源和发展轨迹

一、矛盾纠纷的解决机制

人类社会的矛盾需要平衡，平衡是解决矛盾的重要手段和根本目的。人类社会普遍存在的矛盾，表现为各不相同的形式，其中的某些重大矛盾表现为民间纠纷。发展为民间纠纷的矛盾，就需要社会干预，需要妥善解决。解决纠纷化解矛盾的途径主要有法院诉讼与诉讼外两种办法，前者指的是法院运用国家强制力解决民间纠纷的方式，后者被称为 "选择性争议解决方式（Alternative Dispute Resolution，简称 ADR）"、"替代诉讼的争议解决方式"、"非诉讼解决机制"、"代替性纠纷解决程序"、"法院外纠纷解决方式"、"诉讼外纠纷解决方式"、"审判外纠纷解决方式" 等。抛开这些译法在名称上的差异，其泛指法院诉讼之外的各种争议解决方法，在审判较难发挥作用的领域，担负起审判的补充和代替功能。基于司法资源的有限性与不断增长的司法负荷之间不可调和的矛盾，世界各国都在进行司法改革。由于灵活简便，费用低廉，充分尊重当事人的意思自治等不可比拟的优势，ADR 被视为能从根本上减轻司法负担的解决纠纷的重要途径，正在世界范围内受到关注及推崇。甚至有人坦言："在当代已逐渐成为民商事争议解决的主流，诉讼往往成为'选择性的'或'替代'，而这些其他争议过程却是'正常情况'。"[1]

在诉讼外的解决办法中，调解又是主要的形式，大多数民间纠纷，是通过诉讼外的调解得到解决的。不同的文化背景下，解决纠纷的方式和机制往往也是不同的。在西方社会，人们更多地利用诉讼的方式解决纠纷，而在和合文化背景下的古代中国，人们更多地选择调解的方式解决纠纷，从而在传统中形成了颇具特

---

〔1〕 尹力："调解含义界说"，载《贵州师范大学学报（社会科学版）》2004 年第 4 期。

色的通过调解解决纠纷的解纷机制和解纷文化。[1] 但在现代社会，世界各国也很重视诉讼外调解，美国、英国、挪威、瑞典、日本、菲律宾等国的诉讼外调解制度都很发达。[2]

人民调解是我国独有的一项调处民间纠纷的法律制度，是我国诉讼外解决纠纷的主要方式，属于 ADR 解纷机制的一种，是我国多元化民事纠纷解决体系中不可或缺的组成部分。

二、人民调解的历史渊源和现实基础

作为我国纠纷调解机制中的有机组成部分，人民调解是在对我国传统民间调解进行改造和扬弃的基础上形成并发展起来的。我国自古就有乡里调解、宗族调解、行会调解、亲邻调解的文化传统，民间调解源远流长，历史悠久。在我国，用非诉的调解手段解决民事纠纷，有文字可考的已有两千多年历史，且面广量大，顺乎民情。我国大量的民间纠纷，都是通过非诉的调解方式解决的，诉讼外的调解在我国极为盛行，成效巨大。

我国的诉讼外调解制度范围广泛，种类繁多。在古代，基本上可概括为两种类型：民间调解和官方调解。

（一）民间调解

民间调解包括乡里调解、宗族调解、亲邻调解等。中华民族崇尚和平，追求和谐，民间乐于接受运用调解的方式解决各种民事纠纷。农村中普遍存在的"公道人"、"中间人"的"说和"，其实便是最朴实、最基层的民间调解，也是此后人民调解制度形成的历史渊源和现实基础。这种调解虽无任何组织形式，却普遍存在，能够及时进行，取得巨大效益。宗族调解是指家族成员之间发生纠纷时，族长或家长按照家法族规进行调解决断。中国有几千年封建宗法社会的历史，等级森严，族权是封建社会的重要权力之一。家法族规是族人必须遵守的行为规则的法律化，是族长、家长用来调处、裁判族内纠纷的法律依据。族人和家长实质上是行使族内审判权的法官。官府既承认家法族规对于调整家族内部关系的法律效力，也认可族长对于族内民事纠纷的裁决。尤其是明清时期，州、县官

---

〔1〕 刘敏："论传统调解制度及其创造性转化——一种法文化学分析"，载《社会科学研究》1999 年第 1 期。

〔2〕 胡泽君："人民调解工作的改革与发展"，载《国家行政学院学报》2003 年 6 月。

经常批令族长去调处族内民事纠纷。[1] 亲邻调解的适用在我国古代乃至今日广大城乡十分普遍，纠纷发生以后，往往由办事公道、德高望重的长辈或亲友、邻居等出面说合、劝导、调停，以消除纠纷。调停行会成员之间的纠纷，从而防止兴讼是行会的主要功能之一。大多数用非正式的方法不可能解决的纠纷在有威信的行会成员给出的建议下得以解决，这些成员谙于对风俗和业内惯例的运用。[2]

（二）官方调解

官方调解也就是官府主持的调解，带有行政调解的性质。中国古代的官方调解制度起源于奴隶社会，在历代官府中，设有掌管调解民间纠纷的小吏。西周时我国便建立了比较完备的调解纠纷的官府机构以及一定的调解制度，并对后世产生了深远的影响。据《周礼·地官》的记载，在周代的官府中，即设有"调人"之职，即专管调解纠纷的"司万民之难而谐合之"。秦汉时代，在官府中设"胥吏"，也是专管调解纠纷的。秦汉及其以后，官方调解形成制度，发展成为乡官治事的乡里调解，由乡老、里正等最基层的小吏调解一乡、一里的民事纠纷和轻微刑事案件。乡里调解是历代统治者以法律的形式确认的调解形式，调解达成的协议对双方当事人具有法律约束力，当事人不得以同样的理由和同一事实重新提起诉讼。唐代以后的县以下政权，没有行使审判的职权，所谓"听讼"即调解民间纠纷。元代法律规定村社的社长具有调解的职能，《至元条格》规定："诸论诉婚姻、家财、田宅、债负，若不系违法重事，并听社长以理谕解，免使妨废农务，烦扰官司。"明代沿袭并发展了历代的调解制度，乡治比较完备，并将原有的官方调解上升为调解制度，里设里长、里正，由其调处民间纠纷；里中定有乡约，揭示于"乡约亭"，供大家遵守。如果发生纠纷，则于专门设立的"申明亭"中处理。《大明律》对此作了专门规定。清代县以下实行保甲制，设排头、甲头、保正，亦有调解民间纠纷的职权。总之，中国历代的官方调解制度，是由基层行政组织的官方、半官方人员承担的，是具有行政性质的调解。

上述调解类型中，由于封建官府和封建宗法势力的影响，官方调解和宗族调解占优势，深受官方的青睐。民间调解虽不被官方重视，却为广大群众所喜闻乐见，为了避免官府衙门的欺压和"刀笔讼师"的盘剥，他们往往邀请亲友长辈和一些深孚众望的熟人出面斡旋解决纠纷。

---

[1] 张晋藩："中国古代民事诉讼制度通论"，载《法制与社会发展》1996年第3期。
[2] 柯恩："现代化前夕的中国调解"，载强世功编著：《调解、法制与现代性：中国调解制度研究》，中国法制出版社2001年版，第111页。

人民调解在我国能得到广泛而迅速的发展，这绝非偶然，而是有着深厚的社会、文化的群众基础的，主要是由民族的文化传统和心理素质所决定的。

1. 人民调解得到中国传统文化的支持。仅就思想意识来说，春秋战国时期百家争鸣，以儒家为最大流派，特别是自汉代"罢黜百家、独尊儒术"之后，儒家思想占了绝对的统治地位，儒家的社会观、伦理价值观和哲学观均对民间调解有巨大的影响。[1] 调解在中国体现了传统儒家文化的追求自然秩序和谐的理想，调解与传统儒家文化的"无讼"理想是一致的，从某种意义上，传统的调解制度是儒家文化的产物。

2. 人民调解得到中华民族心理素质的支持。民族心理素质是指一个民族在形成和发展的过程中，凝聚起来表现在民族文化特点上的心理状态，反映了一个民族的共同心理特点。我们中华民族共同心理素质的特点主要有：内向温和，自尊自重；安分守己，追求谐和；诚实、友好、谦让；克己、宽容、豁达大度；富于同情，助人为乐。中华民族的这些心理素质，必然对我国的调解制度产生重要影响，这主要表现在：①纠纷当事人愿意选择调解方式解决争议；②第三方乐于充当义务调解人；③能够提高调解的成功率，发挥调解的作用。[2]

改革开放以后，我国传统社会的基础构造发生了巨大的变化，人口的流动性增强，传统调解制度的经济基础似乎不存在了。但是有两个方面仍然存在：①由于我国实行较为严格的户籍制度，人员的自由流动有许多障碍，大多数人一辈子生活在一个地方，仍然生活在一个熟人社会，尤其是大部分农民仍被束缚在土地上，熟人社会的互助关系和人身依附关系没有得到根本的改变。②任何一个时代都存在诉讼成本问题，过去有，现在依然有。而广大农村和城市的平民中仍有许多人还没有解决温饱问题。这两个问题依然决定着许多人选择什么样的纠纷解决方式。[3] 选择人民调解这种低成本的方式，小到当事人双方，大到国家都可节约不少社会资源，同时也不伤害人际关系，有利于社会的和谐团结。

三、人民调解的发展轨迹

人民调解是在继承历史上民间调解"排难解纷"、"止讼息争"的某些合理因素的基础上，在中国共产党领导的人民革命的丰沃土壤中，由人民群众创造出的崭新的调解形式。

---

〔1〕 杨荣新、邢军："人民调解制度研究"，载《南阳师范学院学报（社会科学版）》2003年第5期。
〔2〕 杨荣新、邢军："人民调解制度研究"，载《南阳师范学院学报（社会科学版）》2003年第5期。
〔3〕·李晓琴："我国传统调解制度价值之探讨"，载《山东电大学报》2005年第4期。

在抗日战争和第三次国内革命战争时期，由于中国共产党和革命民主政权的倡导，为了适应革命战争的需要，民间调解的形式得到很大发展。为了和国民党统治区的调解相区别，遂将革命根据地的民间调解命名为人民调解。

现行的人民调解制度是中国共产党在陕甘宁边区时期发展起来的。新中国成立后，人民调解制度得到中央人民政府的高度重视。1954年中央人民政府在总结新民主主义革命时期调解立法和新中国成立以后人民调解新经验的基础上，制定并颁布了《人民调解委员会暂行组织通则》，标志着人民调解制度的正式确立。在中央和政务院领导下，各地人民政府和各级人民法院在全国范围内有组织、有领导、有步骤地大规模开展人民调解的组织建设。到1955年底，全国有70%的乡镇、街道建立了人民调解组织，调解队伍发展到上百万人，调解平息了大量的民间纠纷。1956年后，随着社会主义革命和社会主义建设步伐的加快，人民调解制度得到极大发展，组织更加完善。调解对象更为广泛，主要是婚姻、家庭、邻里、房屋、宅基地等民事纠纷和小偷小摸等轻微刑事案件。1957年以后，由于我国出现左的偏差，人民调解的发展受到影响。"文化大革命"期间，人民调解制度也和整个社会主义法制一起遭到严重破坏，除少数例外，人民调解组织遭到严重冲击，陷于瘫痪，绝大部分人民调解委员会已不复存在。

党的十一届三中全会以来，随着社会主义民主与法制的恢复和进步，在决策层的重视及全社会的扶持下，人民调解的发展进入了一个崭新的阶段。重建后的各级司法行政机关按照1978年第8次全国司法工作会议和第2次全国民事审判工作会议精神，立即开展人民调解组织的恢复、重建工作，并于1981年召开了第一次全国人民调解工作会议。1983年底，全国恢复、重建人民调解委员会约93万个，比复建初期增长了14.2%，其中村民调解委员会约73万个，居民调解委员会约6万个，厂矿企业调解委员会约14万个，调解人员555.8万人。从1979年至今，人民调解制度日臻完善，人民调解组织得到长足发展，形成了遍布全国城乡、厂矿企业、事业单位的人民调解体系。据不完全统计，到2004年底，全国建立的各类调解委员会87万余个，全国共有专、兼职人民调解员600余万人。组织更加严密，在村（居）民小组设调解小组，每十户设调解员或纠纷信息员；分厂、车间设调解小组，生产班组设调解员或纠纷信息员，形成了三级调解组织网络，使人民调解组织扎根于基层。

随着经济的发展和人们交往的频繁，人民调解组织在纵向完善的基础上，又往横向发展，出现了跨地区、跨行业联合调解的重大举措。各地在建立健全三级调解组织网络的基础上，加强调解组织间的横向联合，在行政区划的边沿地区、城乡结合部、厂街结合部建立了联合调解组织，专门调解跨地区、跨单位、跨行业的民间纠纷。例如，由河北、北京、天津三省市倡导的"护城河工程"，利用人民调解组织贴近群众、根植于群众的特点，广泛排查民间纠纷，维护首都的社会治安，加强综合治理能力，使人民调解组织成为党和政府处理人民内部矛盾的组成部门。根据市场经济发展的需要，在集贸市场、经济开发区、流动人口聚居地、国家重点工程工地、乡镇企业、三资企业等处建立了人民调解组织。它们在共同预防和调解民间纠纷方面，取得了可喜而巨大的成绩。

随着全社会利益格局和利益关系发生转变，利益主体越来越多元化，民间纠纷矛盾主体也随之由单一向多元转化，矛盾的分布越来越广泛，人民调解的任务越来越艰巨。单一的基层调解组织已无法适应形势发展的要求。1998年，山东省陵县为了适应这些变化了的新形式的要求，为了加强调解能力，在乡镇成立了司法调解中心，把司法、公安、民政、法院、房管、工商、税务、环保、信访、妇联、共青团等单位组织起来，发挥各部门的职能优势，对人民调解组织较难处理的各类纠纷，协助调解，取得了明显效果。这种以人民调解组织为基础，以有关行政单位为支柱，以当地党政领导为核心的新的调解形式，我们习惯上称之为"大调解"格局，在诉讼外调解中发挥了重大作用，并在全国得到推广。[1] 从实践来看，"大调解"格局的主要特点和带来的变化有：①在组织形式上，由单一转变为立体；②在领导方式上，由村（居）民自治组织自我管理，转变为党委、政府统一领导，各部门、各单位广泛参与、协助配合；③在指导思想上，由被动调解为主转变为以超前预防、积极调解为主，实行调防结合，标本兼治；④在方式方法上，由单纯采取说服教育的方式，转变为以法律手段为主，辅之以行政的、经济的、教育的等多种手段，达到彻底化解矛盾、不留隐患的目的。

在组织发展的同时，人民调解员的成分和素质也发生了重大的变化。过去，人民调解员文化水平较低，年龄偏大；近些年来，逐步被年轻力壮、有知识、懂法律、明政策、威信高、群众拥护的村民、居民委员会的干部所取代。许多地区在加强社区管理服务中，实行调解员的选举与聘请、任用相结合的用人机制，逐步向调解人员职业化过渡，公开招聘法律专业人才担任调解委员会主任。有条件的地方还建立人民调解庭，由首席调解员与两名调解员组成合议庭，大大提高了调解的质量和数量。还有的地方实行调解人员等级制度和持证上岗制度。目前全国各地具有高中以上文化程度的人民调解委员会委员已超过总人数的一半以上，

---

〔1〕 杨荣新、邢军："人民调解制度研究"，载《南阳师范学院学报（社会科学版）》2003年第5期。

其中具有大专以上文化程度的调解委员会委员也为数不少。

投身于人民调解工作的广大的调解人员具有坚强的意志和勇于献身的精神，不计报酬，不惧位卑事难，凭着对人民调解工作的满腔热情和高度负责的精神，排解了大量的民间纠纷，如春风化雨，润物无声，为社会治安综合治理作出了不可磨灭的贡献，甚至在实践中涌现了不少可歌可泣的英勇事迹和英雄人物，受到党和政府的表彰和人民群众的赞扬。

人民调解工作的发展，是与人民调解的立法发展分不开的。

1954 年政务院颁布的《人民调解委员会暂行组织通则》统一了人民调解组织的名称、性质、任务、设置、工作要则和活动方式，标志着新中国人民调解制度的正式确立。1980 年 1 月，全国人民代表大会常务委员会批准重新公布《人民调解委员会暂行组织通则》。1982 年 3 月，《中华人民共和国民事诉讼法（试行）》的颁布，明确地将人民调解制度写进了法律条文，1982 年 12 月，全国人民代表大会第五次会议通过的《宪法》，将人民调解组织写入《宪法》条文，首次明确人民调解委员会为专门调解民间纠纷的群众组织的法律地位，为我国的人民调解制度的发展提供了宪法保障。《宪法》第 111 条规定：居民委员会、村民委员会设人民调解、治安保卫、公共卫生等委员会，办理本居住地区的公共事业和公益事业，调解民间纠纷，协助维持社会治安，并且向人民政府反映群众的意见、要求和提出建议。《民事诉讼法（试行）》则进一步规定了人民调解委员会的性质、职能、工作原则和指导关系："人民调解委员会是在基层人民政府和基层人民法院指导下，调解民间纠纷的群众性组织。人民调解委员会依照法律规定，根据自愿原则，用说服教育的方法进行调解工作。当事人对调解达成的协议应当履行；不愿履行或者调解不成的，可以向人民法院起诉。人民调解委员会调解案件，如有违背政府法律的，人民法院应当予以纠正。"（第 14 条）1991 年 4 月颁行的《中华人民共和国民事诉讼法》也作了类似的规定，所不同的是第 2 款改为"人民调解委员会依照法律规定，根据自愿原则进行调解。当事人对调解达成的协议应当履行，不愿调解、调解不成或者反悔的，可以向人民法院起诉。"（第 16 条）但基本精神是一致的，都强调人民调解组织的群众性、自治性和进行调解的自愿性。

1989 年 5 月 5 日，国务院常务会议审议通过了《人民调解委员会组织条例》，于同年 6 月 17 日颁布施行，《条例》进一步完善和发展了人民调解制度，把我国的人民调解工作推进新的历史阶段。近年来，人民调解的工作为适应社会主义市场经济体制建立与发展的需要，不断强化内部机制改革，调解组织的覆盖

20

面不断扩大，业务领域不断拓宽，民间纠纷的预防和调控能力不断强化，在社会治安综合治理中的作用不断加强，具有中国特色的人民调解制度得到丰富和发展。在我国，人民调解是除诉讼程序外，运用得最广泛、最成功并深受广大人民群众和基层社会欢迎的一种纠纷解决途径和社区服务方式。

2002 年 9 月司法部联合最高人民法院举行了全国人民调解工作会议，最高人民法院和司法部在进行充分调查研究的基础上，以与时俱进、不断创新的精神，依据我国法律做出了《关于审理涉及人民调解协议的民事案件的若干规定》和《人民调解工作若干规定》。最高人民法院《关于审理涉及人民调解协议的民事案件的若干规定》是基于调解协议缺乏应有的权威，使得人民调解的作用有所下降的现实而出台的，其主要法律依据是《民事诉讼法》第 16 条的规定，《人民法院组织法》第 22 条的规定，以及《民法通则》、《合同法》和《人民调解委员会组织条例》的有关规定。同时最高人民法院还参考了国际商事调解相关规定，借鉴了美国、挪威、瑞典等国家的成功经验。该规定共十三条，主要包括人民调解协议的性质、涉及人民调解协议的民事案件的种类和人民法院对人民调解协议的效力的认定等内容。《人民调解工作若干规定》是司法部在广泛调查、总结经验，依据《宪法》和《民事诉讼法》、《人民调解委员会组织条例》等法律、法规而制定的。《人民调解工作若干规定》主要包含了以下内容：①进一步明确和拓展了人民调解的工作领域；②发展和完善了多种形式的人民调解组织；③明确了人民调解员的产生方式和条件，增加了文化水平的要求；④进一步规范了人民调解工作程序，明确了人民调解协议的内容和制作的规范要求；⑤改进和加强了司法行政机关对人民调解工作的指导。

调解制度的重塑，不仅进一步加强了新时期的人民调解工作，而且完善了我国人民调解这一重要的民主和法律制度，在我国民主与法制建设的历史上将产生良好的影响。

2004 年 2 月 24 日，司法部、最高人民法院联合召开了全国人民调解工作座谈会，并出台了最高人民法院、司法部《关于进一步加强人民调解工作，切实维护社会稳定的意见》，把进一步加强人民调解工作列为司法行政机关今后一个时期的重要工作，这些都向外界传达了一个重要信息：新时期人民调解工作依然是我国多层次、多方位纠纷解决机制中的一个重要组成部分。

目前，调解作为一种诉讼程序之外解决社会纠纷的有效方法，受到各国司法界的高度重视。无论是发达国家还是发展中国家，都在学习我国的人民调解制度，并结合他们本国的历史文化和法律制度加以发展。我国人民调解制度在某些方面，有些地方已经落后于时代发展需要，与一些国家类似做法相比，有一定的差距。因此，要及时跟踪国际诉讼外调解的发展趋势，积极推进人民调解工作改革和发展，逐步健全和发展适应时代发展趋势、符合我国实际、富有成效的人民调解制度。[1]

四、人民调解在新时期存在的价值

调解制度流变至今依然适用，并且超越了时空的限制而受到不同时代、不同国度的人们的接纳，尤其是人民调解制度作为现代社会多元化纠纷解决机制中群众基础比较广泛的一种，充分说明它自有生存的土壤和存在的价值。

（一）人民调解对于适应"后诉讼时代"解纷机制的多元化需求的价值

人民调解与计划经济时期的国家治理方式存在某种同构性，国家治理方式转变的同时，人民调解的组织形式、工作方式没有进行相应的调整，这是导致诉讼时代纠纷解决体系结构性变迁的重要原因。另一方面，对于法治内涵的误读也是不容忽视的原因。九十年代以来，法治几乎成了诉讼的代名词，司法最终解决原则被扩大化理解，这样的"法治氛围"一方面导致公众对诉讼的过高期待，社会对诉讼的积极鼓励，另一方面也贬抑了人民调解的价值和正当性。[2]

一个社会的纠纷机能能否良性运作在很大程度是由纠纷解决体系的结构决定的。[3] 由于西方国家日益重视非诉讼解决机制，强化解决纠纷手段和方法的多样化，当今时代因而被称为"后诉讼时代（post litigation era）"。社会的复杂性、纠纷的多样性的增强，需要纠纷解决方式的多样化。在新的历史时期，社会进步与转型带来不同价值观念、利益观念和是非观念的相互碰撞；各种利益关系的进一步调整，各种社会矛盾大量增加，矛盾主体日趋多元化，内容愈益复杂化；市场交易总量急剧上升，各种民商事纠纷与日俱增，而人民法院和仲裁机构的承受能力又十分有限，这就使得对包括人民调解在内的各种诉讼外纠纷解决机制的社会需求也就日益突出。我国的人民调解作为我国独有的一项调处民事纠纷的法律制度，正是适应了这种多样化需求。人民调解作为我国现有的 ADR 资源，进一步挖掘其潜力，对其进行合理的改造和利用，将对我国实现多元化纠纷解决机制

---

〔1〕 节选自司法部部长张福森 2002 年 9 月 27 日在全国人民调解工作会议上的讲话。
〔2〕 韩波："人民调解：后诉讼时代的回归"，载《法学》2002 年第 12 期。
〔3〕 陈楚天："人民调解制度与人民调解协议的再完善"，载《齐齐哈尔大学学报（哲学社会科学版）》2004 年第 5 期。

的顺畅运作具有重要意义。[1] 人民调解所体现的私法自治性、相对保密性、其程序的简易性、灵活性和高效性及其成本的低廉性是人民调解比诉讼程序优越之处，也是其魅力的来源。

（二）人民调解兼顾公正与效益

诉讼内解纷机制与人民调解相比，其优势在于权利实现的直接强制性和复杂的程序保障机制，但前者也存在着若干无法克服的短处，最突出的是解决纠纷的成本高、时间周期长及程序刚性化等。人民调解作为一种制度化、经常化和专门化的纠纷解决机制，在解决民事纠纷中具有便捷高效，成本低廉的优点，因而有着广泛的可适用性。[2] 诉讼内解纷机制与人民调解的各自的特点决定了二者在公正与效率的价值体系中有着不同的价值取向。若在公正与效益的价值体系中观照人民调解的价值，相对而言，对于解决纠纷，诉讼内解纷机制更符合法律公平，而人民调解在不违反法律的前提下，更能兼顾效益。公正在人民调解中主要体现于调解的自愿、平等性与中立性，尤其体现于其司法保障，因为根据《关于审理涉及人民调解协议的民事案件的若干规定》的有关规定，人民调解协议合法性的最终裁决权归属于审判权，确保了调解结果的最终公平。效益在人民调解中主要体现于：①人民调解的及时性，人民调解委员会及时受理调解申请，并规定调解纠纷一般在一个月内调结。②人民调解的便利性。人民调解处理地点便利，人民调解委员会均设置在公民、法人所在的村（居）民委员会或单位，极大地便利了纠纷当事人；了解情况便利，调解员可以准确及时地弄清纠纷缘由，有利于纠纷解决；提起人民调解的程序也十分便利。③人民调解的低成本。一方面，人民调解没有特别的入门条件和费用，人民调解委员会调解民间纠纷不收费，为很多因费用承受能力有限而不能解决的纠纷寻找到了解决途径。另一方面，由于人民调解不打破原有的人际关系就可达到化解纠纷的目的，其伦理成本较低廉。④人民调解的适用范围广泛。⑤人民调解的化解功能和柔性特点。[3]

（三）人民调解的规范指引价值以及发展法律的价值

社会转型期亦被视为"道德滑坡"、"道德真空"，或是新旧规范体系混杂的

〔1〕 陈楚天："人民调解制度与人民调解协议的再完善"，载《齐齐哈尔大学学报（哲学社会科学版）》2004年第5期。
〔2〕 罗华："论人民调解制度的现状、变化及其价值内涵"，载《理论与改革》2002年第6期。
〔3〕 罗华："论人民调解制度的现状、变化及其价值内涵"，载《理论与改革》2002年第6期。

时期，处于行为失范状态的人们需要具体的"游戏规则"的指引。在这方面，法律规范被寄予厚望，法律通过缓慢而有效的渗透参与整个社会的治理被视为一种理想的治理模式，也是法治秩序在一个社会中建立的重要途径之一。人民调解所携带的法治信息使其有可能扮演此类角色。而调解的组织化和审判制度的理性化并行不悖，在完善普遍主义法律制度的同时，如果能通过调解委员会、司法助理员等容易操作的制度的运作和中介作用，成功地把民众对法庭的恐惧或单纯功利主义的利用这种传统心理，转变为自主参与的法律观念，那么，作为组织化的辩证性结果，就会形成生活领域中的习惯与国家法之间的循环体系，在统治者和被统治者之间出现法律共同体的条件下，有可能产生自治性秩序。研究表明，一方面正式的审判制度重视调解，另一方面民间调解也越来越坚持合法性原则，调解组织化、法制化的倾向不断增强。国家法一边进行着自我微调，一边进入民间调解这一非法律领域，归纳性地吸收并消化社会规范，以谋求自身的发展。而且，随着纠纷的急剧增加，立法的大量涌现，以及继受法律和新法律的社会化问题，也常常困扰着转型期的社会。人民调解制度则能较好地适应与以往封闭的法律体系之间进行交流融合的需要。以调解的形式化为取向，可促进社会规范的更新，甚至在某些情况下，可以以国家法迅速取代社会规范，使之成为调解的基准。[1] 虽然调解只能在有限的范围内创造规范，但是如果能为调解和正式法律体系之间的交流提供充足的条件，则调解在促进法治的过程中发挥的作用不可忽视。如：①促进对法律制度的反思和纠纷当事人的反思，积极调和实体法和纠纷当事人的主张；②通过规范间的竞争和选择，大大增加法律发展的契机，以弥合实体法和生活规范间的裂隙；③基于个别纠纷的具体情况，对权利关系作出判断，促进实体法的具体化；④使潜在的纠纷得以外显，扩大对程序法的需求；⑤把日常会话的规则和程序内的行为规范，以更有利于当事人的方式予以整合，以此来发展程序法规则；⑥通过部分地放松严格的审判程序的要求，从而达到形式正义与实质正义的平衡。因此，调解和法律试行机制极为近似，都是在合法与不合法之间的狭窄地带增加了法律发展的契机。[2] 此时，人民调解便不仅仅是一种单纯的解纷手段，同时还是使国家法律得以实现的重要渠道；更重要的是，它给社会提供了一个利用规范的范例。

---

〔1〕 季卫东："调解制度的法律发展机制——从中国法制化的矛盾情境谈起"，载强世功编：《调解、法制与现代性：中国调解制度研究》，中国法制出版社 2001 年版，第 1—87 页。
〔2〕 韩波："人民调解：后诉讼时代的回归"，载《法学》2002 年第 12 期。

（四）人民调解有利于培育自治理念和促进全社会对和谐的追求

现在的中国还远未形成市民社会。总体上看，我国社会自治程度较低，现代意义上的各种自治性组织仍处于培养和发展的过程中，具有发育不成熟、形态不完备，自律机制欠缺，诚信基础薄弱等特点，其自治能力和自控能力相对较低。目前大部分自治组织还远未实现组织自治这一标准，还不符合社会组织在市民社会中起着标志性作用的重要特征。人民调解是民间调解，是一种基层群众自治和社会自律性质的活动，人民调解组织是群众性自治组织，其工作理念、工作方法应该是以社会化、自治化为特征的。进一步营造人民调解工作的运行环境，加强以村（居）民委员会为主体、社会各行会团体为补充的社会自治组织体系建设，有利于充分发挥人民群众的自治和自律能力，有助于培养区域社会、公民社会、法治社会、自治社会以及有限政府、大众参与、治安预防等新的理念，而这些理念正是我国形成新的社会形态、社会结构和国家治理模式所不可或缺的。

（五）人民调解的伦理价值

一种制度的效益不仅在于其投入与产出之比，也要看伦理成本与伦理收益的关系。庞德曾经指出，中国具有被接受为伦理习俗的传统的道德的哲学体系，这种哲学体系可能被转化为一种据以调整关系的影响行为的公认的理想，这一点可能是一个有利因素。[1] 任何纠纷都触及不同性质的利益问题，在现实社会中如何解决人与人之间的利益冲突，既是道德与法律的问题，也是伦理与政治的问题，更是带有普遍意义的世界性的社会问题。由于调解制度本身寄托着儒家文化追求自然秩序和谐的理想，反映出儒家文化中"重义轻利"、主张社会本位的基本理念和自省的精神，人民调解往往无须打破原有的人际关系便能达到化解纠纷的目的。[2] 这对于指引社会成员行为的理性化、形成对待利益、对待纠纷的比较健康的心理，维持和谐稳定的社会秩序具有积极的意义。这比以个人本位为核心，以金钱为联系纽带的，人人寸利必争、事事好讼，而置人伦人情于冰水之中的所谓的"契约社会"更符合我们的民族的文化心理特征和人文理想。在这个

---

〔1〕 转引自高道蕴、高鸿钧、贺卫方：《美国学者论中国法律传统》，中国政法大学出版 1994 年版。

〔2〕 在社会生活的一切场合中，在人们之间无时不在进行的无数个自主的处理、解决过程中，调解的功能只是对那些一时陷入困难的自主解决给以援助，并在当事人恢复平等对话的可能性之后使其重新建立正常的关系。可参见蔡宝瑞："与人民调解员有关的几个问题之我见"，载《上海市政法管理干部学院学报》2001 年第 3 期。

意义上，推广和实践人民调解是有助于社会成员在关注和追求自身合法权益的同时，也关注他人的利益，完美自身的道德修养，从而提高整个社会的文明程度。

　　基于上述理由，我国的人民调解制度的当代价值正在被重新审视和考量。事实上调解制度自身的价值与魅力也逐渐被法治化程度较高的欧美国家所认识。用调解的方式解决社会矛盾纠纷，已成为许多国家认同的较好方法之一和当今各国司法改革的一种趋势。如瑞典 95% 的民事纠纷都依靠调解来解决。近年来，美国也很重视推行调解制度，认为调解能防止矛盾激化，降低司法成本，维护和谐的人际关系。英国把调解制度称为"纠纷解决替代措施"，推行的效果也是明显的。澳大利亚把用调解等替代方式解决民事纠纷作为司法改革的重要内容之一，在 20 世纪 90 年代成立了"全国非诉讼调解理事会"，协助政府制定调解政策，指导调解工作。世界许多国家关于诉讼外调解的立法迅速发展。如日本 1951 年颁布了《民事调解法》，规定调解协议书具有与判决书同等的法律效力。挪威的《纠纷调解法》规定，除特殊重大纠纷外，所有的民事纠纷在向法院起诉以前，都必须经过调解委员会的调解，并规定经调解达成的协议可强制执行。美国制定了《解决纠纷法》，鼓励各地成立民间调解组织。欧盟目前正在制定一部适用于欧盟各国的《纠纷解决法》，联合国也正在起草倡导适用调解手段解决社会矛盾纠纷的法律文件。为了更好地稳定社会关系，节省司法资源，世界上很多国家和地区通过法律规定或法院裁定的方式，把调解设置为某些类型纠纷进入诉讼的前置程序。如日本《家事审判法》第 18 条规定对部分家庭纠纷实行调解前置，当事人在对这些家庭纠纷提起诉讼前，必须经过调解；当事人未经调解向法院提起诉讼的，法院可以依职权移送调解。菲律宾把调解作为初步的诉讼程序，人们遇纠纷必先经过调解，调解不成，由调委会开出证明，才能将纠纷递交法院审理。又如我国台湾地区《民事诉讼法》第 403 条、第 427 条、第 577 条以及第 587 条也规定，因请求保护占有的诉讼、因不动产的界线或设置标引起的诉讼以及离婚之诉、夫妻同居之诉、终止收养之诉等八种情形，实行诉前强制调解。[1] 调解制度在一度陷入低谷之后，又在世界范围内受到青睐，彰显了其自身不朽的价值和中华民族的深邃智慧。

---

〔1〕　缪新宝："关于人民调解工作的思考与实践"，载《中国司法》2004 年第 9 期。

第五节　人民调解的任务、工作方针与活动原则

一、人民调解的任务

1. 调解民间纠纷，防止民间纠纷激化。预防和调处纠纷是人民调解的首要任务。人民调解通过及时有效化解民间纠纷于萌芽状态，可以有效防止"民转刑"案件的发生，从而在维护社会稳定方面起到治本的作用。

2. 通过调解工作宣传法律、法规、规章和政策，教育公民遵纪守法，尊重社会公德，预防民间纠纷发生。罗马不是一天建成的。只有民事法律关系的主体都懂法、明法，才能从根本上避免民间纠纷的产生与激化。这要求人民调解组织不仅要及时调解民间纠纷，防止矛盾激化，而且要求把提高人们的法律意识和道德水准提到首要的地位，以取得人民调解工作的主动权。法制宣传和道德风尚的教育是调解民间纠纷、预防和减少民间纠纷发生的重要手段。人民调解委员会进行法制宣传和道德风尚教育有以下形式：①通过调解活动进行宣传；②根据纠纷发生的性质、特点、所适用的规范以及当地的实际情况，进行预防性宣传；③配合形势和任务进行宣传。

3. 向村民委员会、居民委员会、所在单位和基层人民政府反映民间纠纷和调解工作的情况。人民调解组织通过调解活动，体察和了解民情。通过调研分析民间纠纷发生的原因、规律和特点，给各级领导和机关提供了可靠的信息，为领导决策提供了第一手资料。

二、人民调解工作的方针

当前，人民调解工作的方针是"调防结合，以防为主，多种手段，协同作战"。这一工作方针的含义是：①要积极调解，及时化解民间纠纷，努力把可能激化的纠纷减少到最低限度；②要把出发点和落脚点放在预防上，科学地把握民间纠纷产生演变发展的规律；③要综合运用经济、行政、法律等多种手段化解纠纷；④要在各级党委和人民政府的领导下，主动与各有关部门配合起来，各司其职且相互协调，齐抓共管，共同化解民间纠纷。

三、人民调解的活动原则

依据《人民调解工作若干规定》第 4 条的规定，人民调解委员会调解民间

纠纷，应当遵守下列原则：①依据法律、法规、规章和政策进行调解，法律、法规、规章和政策没有明确规定的，依据社会主义道德进行调解；②在双方当事人自愿平等的基础上进行调解；③尊重当事人的诉讼权利，不得因未经调解或者调解不成而阻止当事人向人民法院起诉。据此，可将人民调解的活动原则概括为依法调解原则、自愿平等原则和尊重当事人诉讼权利的原则。

（一）依法调解原则

依法调解，是指人民调解组织必须依照国家的法律、法规、规章和政策进行调解活动。法律、法规、规章和政策没有明确规定的，根据社会主义道德规范进行调解。与纯粹的持当事人主义，特别尊重当事人处分权的调解不同，目前从整体上看人民调解还不可避免地带有官方或半官方色彩，调解员在调解过程中自觉或不自觉地表现出职权主义的倾向，因此，不排除当事人在调解人员的劝说下，迫于种种压力而勉强作出让步的可能性存在。在这样的背景下，我们更应强调依法调解的原则。

依法调解的原则，包括如下方面：

1. 调解的范围合法。依据《人民调解工作若干规定》第20条和第22条的规定，人民调解委员会调解的民间纠纷，包括发生在公民与公民之间、公民与法人和其他社会组织之间涉及民事权利义务争议的各种纠纷；法律、法规规定只能由专门机关管辖处理的，或者法律、法规禁止采用民间调解方式解决的，以及人民法院、公安机关或者其他行政机关已经受理或者解决的纠纷，人民调解委员会不得受理调解。例如某些基层的调解人员为了避免民事纠纷激化为刑事案件，将个别已然构成犯罪的刑事案件也当成民事纠纷来调解，对这些刑事案件隐瞒不报，甚至阻止压制被害人向司法机关控告，这就严重违反了依法调解原则。

2. 调解的方式、方法合法。今天我们的社会生活的意识中已经渗透了法和权利的观念，完全不问法律上谁是谁非而一味无原则地要求妥协的调解方式已不可能再获得民众的支持，因为申请调解的当事人虽然没有选择利用诉讼制度，却也是为了实现自己的权利才提出要求调解。[1] 在人民调解中，染有数千年的封建臣民意识，及受几十年高度集权和计划经济体制支配下的观念影响。反映在人民调解上有较浓重的"重义轻利"色彩和"折衷调和"等现象。显然这与法治

----

〔1〕 〔日〕谷口安平：《程序的正义与诉讼》，中国政法大学出版社1996年版。

社会注重人们权利和义务，注重人民利益的观念是相异的。[1] 人民调解依据的是法律，这与传统的民间调解强调"循礼重于循法"是根本不同的。依法进行调解，就要切实转变固有的传统观念，切实提高权利、义务、利益观念。应在分清是非，明确责任的基础之上，促成当事人互谅互让达成协议。调解的结果必须要使责任方明白所负的责任；享有权利的一方，要明白自己应有的权利。因此，谅解不是"和稀泥"，一味地无原则地要求一方忍让，从而息事宁人，而是应在明确权利义务的前提下进行，或谴责，或维护要分明。在公正与效益的价值体系当中，既要注重有效率地解决纠纷，更要尊重当事人的合法权利，不能以牺牲一方当事人的正当权益而换取调解的成功率。我们不赞同在调解中将当事人的合意强调到极致，而忽略了公正价值的实现的做法。因为，人民调解不仅要达到解决纠纷的目的，同时也担负着预防纠纷的任务，如果当事人通过人民调解所实现的权利与其若采取审判的解纷方式所能实现的权利相去甚远的话，则纠纷的解决只是暂时的，一旦当事人的权利意识觉醒，纠纷会以新的形式爆发出来。尊重当事人的法定权利，也是现代市场经济的内在要求。

3. 经调解，当事人双方达成的协议合法。人民调解的当事人是通过协议来达成合意的，其判断的依据除了法律，还有传统的情理观念、社会常识、风俗习惯等，而且调解员的调解往往是建立在对民间纠纷的矛盾渊源及当事人具体情况的深刻了解的基础上的，因此，比起法官仅仅根据法律和针对纠纷本身所作出的一刀切的裁决，调解更容易带来符合实际情况的衡平式的解决。然而，调解协议是当事人合意的集中体现，只有双方达成的调解协议合法，才能使当事人的合意获得正当性。此外，当事人期待通过人民调解来实现自身的权利最大化，这只有在调解结果与审判结果基本一致的情况下才有可能，如果其通过调解所实现的权利与法院处理应获实现的权利相比质量较差的话，即使节约了当事人的成本，其实效依然要大打折扣。

案例 1

某日，章某的邻居王某打死了章某家的鸭子，章某的父亲去向王某索赔，彼此发生吵骂，后经村委会干部调解平息。晚十点左右，王某之子王伟领十余人，持猎枪、刀、斧头等凶器冲到章家院内，章某的母亲上前阻拦，被王伟用刀在嘴

---

〔1〕 陶舒亚："论人民调解制度"，载《现代法学》1999 年第 3 期。

唇上刺了一下，造成穿刺性伤害，左眼眶遭到枪托的猛击，造成轻伤。章某的母亲在精神上受到很大刺激，住院半个月。此事经人民调解委员会处理，仅按医疗费的70%赔偿。

此案中人民调解委员会的处理已违反了依法调解原则。

人民调解委员会的基本职能只能是"调解民间纠纷"，如婚姻家庭纠纷、生产经营性纠纷、财产性纠纷、侵权性纠纷等，但这一类的侵权性纠纷必须是未构成犯罪的轻微违法行为所引起的，是无须追究刑事责任的纠纷，如打架斗殴、小偷小摸、轻微虐待、侮辱、诽谤等行为引起的纠纷。本案发生于《治安管理处罚法》施行之前，根据《治安管理处罚条例》第5条的规定，对于因民间纠纷引起的打架斗殴或者损毁他人财物等违反治安管理行为，情节轻微的，公安机关可以调解处理。这就把调解引进了公安机关的治安管理的范围。它只限于因民间纠纷引起的情节轻微的违反治安管理行为这个范围。这样做有利于对违反治安管理行为的人实行教育与处罚相结合的原则，有利于妥善解决纠纷。本案系因民间纠纷引起的打斗并造成伤害的案件，王伟领十余人持凶器冲到章家，将章母刺伤，这是侵犯章母人身权利的行为，但其受伤害程度如何，应由法医鉴定，如果是属于轻微伤害，按违反治安管理的行为处罚，或者由人民调解委员会调解。如果属于轻伤，则构成故意伤害罪。本案的损害事实已构成轻伤，应由公安机关处理，属于《人民调解工作若干规定》第22条规定的不得由人民调解委员会调解的纠纷。人民调解组织可以调解民事纠纷，但没有权利处理轻伤以上的刑事案件。对此，受害人可以报派出所，请求依法处理此案；也可以将此案件作为自诉案件直接向人民法院起诉。

有些基层的人民调解组织或者人民调解员将避免"民转刑"强调到了极致，把这些刑事案件当成民事纠纷来处理，甚至对刑事案件隐瞒不报，还阻止受害人向司法机关报案；而受害人也往往经过一番劝说，再加上若干经济补偿，便息事宁人，哑巴吃黄连，有苦自己吞。这样做的后果极其严重，且不说这种做法本身就是违法的，事实上使法律变成了一纸空文，而对刑事案件隐瞒不报，无论出于何种动机，其结果都是包庇了犯罪分子。如果只用经济赔偿的手段来处理刑事案件，不啻于是对违法犯罪行为的恣意纵容，使犯罪分子仗着手中有钱为所欲为逍遥法外，使良善群众缺乏安全感，提心吊胆过日子。这种混淆民事纠纷与刑事案件本质区别的做法违背了依法治国的方略，践踏了法律的权威，不利于从根本上打击犯罪和维护社会的长治久安。

（二）自愿平等原则

自愿平等原则,指人民调解委员会应在双方当事人自愿平等的基础上进行调解,不能采取任何强迫措施。调解必须建立在当事人双方完全合意的基础上。合意是调解的本质要求,因为这是强调契约自由、意思自治的市场经济的内在要求。

自愿平等原则表现在如下几方面:①用调解的方式解决纠纷是矛盾双方当事人真实意思的表示,其有决定选择调解程序和方式的自由。②调解组织受理纠纷时和在调解纠纷时,都必须坚持自愿原则。调解前,尊重当事人有选择诉讼或调解方式来解决纠纷的自由;调解中,尊重当事人有终止调解,选择诉讼的自由;调解后,尊重当事人依法向法院诉讼的自由。③调解协议是纠纷双方真实合意的表示,调解协议的内容完全由双方当事人自己做主,调解协议书的签订必须双方同意。④调解协议要当事人自觉履行。

（三）尊重当事人诉讼权利的原则

尊重当事人诉讼权利的原则,是指人民调解委员会对民间纠纷的调解不是起诉的必经程序,不得因未经调解委员会调解或者调解不成而阻止当事人向人民法院起诉。

尊重当事人诉讼权利的原则有两方面的内容:①纠纷发生时,双方当事人均有选择权,可以不经人民调解委员会调解而直接向有管辖权的人民法院起诉;②在人民调解委员会调解进行中,双方或一方当事人不愿继续调解,即可向调解委员会提出退出调解而向有管辖权的人民法院起诉。

思考题:

1. 什么是人民调解,它有什么特征?
2. 人民调解与其他类型的调解主要的区别是什么?
3. 如何理解人民调解委员会的性质,为什么说人民调解是一种群众性自治性活动?
4. 如何理解人民调解的地位和作用?
5. 人民调解的主要任务是什么?
6. 什么是人民调解工作的方针?
7. 人民调解应遵循哪些活动原则?

对秩序的需求不仅源自于人们之间进行合理的、有益的物质交往需求，而且深深地根植于人类的精神生活之中。

——博登海默

第二章　人民调解组织

第一节　人民调解组织的设置

一、人民调解组织设置的原则

人民调解组织的设置应遵循以下原则：

1. 民主原则。历史实践证明，人民调解是随着人民民主的争得和发展，从无到有，从局部到全国逐步发展的。所谓民主原则，主要是指作为直接民主形式之一的人民调解，是人民群众运用自己的力量，直接地、实际地对国家和社会事务进行管理的原则，人民调解委员会设置的广泛性、基层性，充分体现了群众自治的社会主义民主原则。

2. 依法原则。依法原则是指人民调解委员会的设置是由国家法律明确规定的，这些法律包括《宪法》、《民事诉讼法》、《人民调解委员会组织条例》、《人民调解工作若干规定》等。

3. 便民利民原则。所谓便民利民原则，是指人民调解委员会的设置应从有利于调解和预防民间纠纷、方便人民群众的角度出发而设立的原则。人民调解委员会把人民的利益放在首位，通过各种为民着想、为民服务、为民谋利的活动来体现这一宗旨。

4. 扎根基层原则。扎根基层原则是指人民调解委员会必须设置在基层，扎根在广大群众中间的原则。人民调解委员会设置在基层，既有利于人民调解工作的开展，又方便了群众，是人民调解组织设置的一个基本原则。

二、人民调解组织的设置

《人民调解委员会组织条例》规定，村民委员会、居民委员会设立人民调解委员会，企业事业单位根据需要设立人民调解委员会。此后颁布的《人民调解委员会工作若干规定》根据人民调解工作的发展实践，增加了人民调解的组织形式。其第 10 条的规定，人民调解委员会可以采用下列形式设立：①农村村民委员会、城市（社区）居民委员会设立的人民调解委员会；②乡镇、街道设立的人民调解委员会；③企事业单位根据需要设立的人民调解委员会；④根据需要设立的区域性、行业性的人民调解委员会。目前，人民调解组织设置的现状是：

（一）农村人民调解委员会的设置

1. 乡（镇）调解工作领导小组。它根据乡（镇）党委政府的指导，对人民调解组织实行宏观指导和间接管理。一般由乡（镇）党委、政府的分管领导担任组长，司法助理员、公安派出所所长、人民法庭庭长、妇联主任、民政助理员等有关部门的负责人担任组员。其主要职责是：指导本乡（镇）的人民调解工作，定期研究民间纠纷动向，协调对民间纠纷的处理，采取措施，加强基层调解组织的建设。

2. 村人民调解委员会。村人民调解委员会是村民委员会下设的一个负责调解民间纠纷，宣传社会主义法制的职能组织，它直接接受村民委员会的领导，并接受乡（镇）政府司法助理员的指导和管理，以及人民法庭的业务指导，同时对本村的调解员（调解小组）实行指导和管理。

3. 村民调解员（调解小组）。村民委员会一般根据村民居住情况，将本村划分成若干片，设立村民小组，调解员（调解小组）设在村民小组内，调解员（调解小组）的主要职责是：了解村民之间的纠纷动向，处理轻微的纠纷，对较大的纠纷，采取积极的预防激化措施，并及时向村人民调解委员会报告。

（二）城市街道人民调解委员会的设置

城市街道调解组织也是三级结构，除居民调解委员会外，街道办事处设立调解工作领导小组，居民委员会下设的居民小组设调解员（调解小组），城市街道调解组织的隶属关系、职责范围与农村调解组织基本相同。

（三）企业事业单位人民调解组织的设置

企业人民调解组织的设置，是根据企业单位的规模大小，职工多少等不同情况而设立的。凡设立党委、总支、支部三级党组织的大型企业或联合企业，分别设置调解工作领导小组、人民调解委员会和调解小组三级调解组织。凡设党委（总支）、支部两级党组织的企业，分别设立调解工作领导小组、调解委员会和调解小组。只设支部一级党组织的企业，设立调解委员会和调解小组。

（四）区域性、行业性人民调解委员会

区域性人民调解委员会是指在特定的行政区域、特定的生产、生活地区等建立的人民调解组织。目前，已建立的区域性调解组织形式主要有行政接边地区、厂街接边地区建立的联合人民调解委员会，集贸市场、经济开发区、商品集散地、工程工地、流动人口聚居区人民调解委员会等等。行业性人民调解委员会是指行业、社会团体组织建立的人民调解委员会，如房地产行业人民调解委员会、消费者协会人民调解委员会等等。由于行业组织具有熟悉行业情况，与成员联系紧密的优势，由其来调解行业成员之间以及与行业有关的纠纷就较其他民间调解组织具有不容置疑的优势。自 1995 年，上海市浦东新区个体劳动者协会、私营企业协会经司法行政部门批准，成立了全国第一家行业性调解委员会起，行业性调解委员会迄今已有十年的实践历史。区域性、行业性人民调解委员会能有效调处区域内、行业内的一些重大纠纷，是人民调解组织向社会自律性组织发展的有效形式之一，对于发展和完善市场经济条件下的人民调解工作具有积极的意义。

第二节 人民调解委员会

一、人民调解委员会的性质

人民调解委员会是基层群众自治性的调解组织。人民调解委员会既具有一般群众性自治组织的共同特点是其群众性、基层性、自治性；又有自己独有的特点是其任务的专业性、单一性。

1. 群众性。人民调解委员会是群众性组织，不同于国家行政机关和审判机关，它既没有行政决定权，也没有司法裁判权。其组成人员既不能由国家机关委派，也不能由其他组织任命，只能在本居住地区的居民中选举产生。这种处理纠纷的方式只限于根据自愿原则进行调解，无权对当事人采取任何胁迫和强制。作为民间的群众性组织，人民调解委员会有着其他组织所不能取代的作用。

2. 基层性。人民调解委员会是设立在我国社会基层的居民委员会、村民委员会和厂矿企业中的调解组织。它的组成人员由居住区的居民直接选举产生，它的任务是调解属于基层社会生活中的民间纠纷。

3. 自治性。人民调解委员会是在党的领导和国家的指导下，由群众自己组织起来，自我管理、自我教育、自我服务的组织，这是人民调解委员会自治性的基本标志。其调解活动是独立自主的，只根据政策和法律进行，而不受其他方面的制约和干涉。

4. 专业性、单一性。人民调解委员会是单一的，专业的调解民间纠纷的基层群众性自治组织，它的职责只是单一的调解民间纠纷。以人民调解委员会与治安保卫委员会的工作为例，如帮教违法犯罪青少年的工作，则由治安调解委员会主管，人民调解委员会予以配合；反之，调解各类纠纷预防矛盾激化的工作，应由调解委员会主管，治安保卫委员会配合。

二、人民调解委员会的产生与组成

人民调解委员在基层人民政府的指导下，根据民主集中制的原则，由本辖区（单位）的群众民主选举产生。

调解委员会的职数，主要根据辖区的大小，人口的多少等实际情况来确定，根据《人民调解工作若干规定》的规定，人民调解委员会由委员 3 人以上组成，设主任 1 人，必要时可以设副主任。多民族聚居地区的人民调解委员会中，应当有人数较少的民族的成员。人民调解委员会中应当有妇女委员。[1] 村民委员会、居民委员会和企业事业单位的人民调解委员会根据需要，可以自然村、小区（楼院）、车间等为单位，设立调解小组，聘任调解员。[2] 乡镇、街道人民调解委员会委员由下列人员担任：①本乡镇、街道辖区内设立的村民委员会、居民委员会、企事业单位的人民调解委员会主任；②本乡镇、街道的司法助理员；③在本乡镇、街道辖区内居住的懂法律、有专长、热心人民调解工作的社会志愿人员。[3]

三、人民调解委员会的工作制度

《人民调解委员会组织条例》对人民调解委员会的制度建设作出了原则规

---

〔1〕 参见《人民调解工作若干规定》第11条。
〔2〕 参见《人民调解工作若干规定》第12条。
〔3〕 参见《人民调解工作若干规定》第13条。

定。《人民调解工作若干规定》第19条则对人民调解委员会的制度作出了更加明确、具体的规定，要求人民调解委员会应当建立健全岗位责任制、例会、学习、考评、业务登记、统计和档案等各项规章制度，不断加强组织、队伍和业务建设。

（一）岗位责任制度

岗位责任制度是人民调解委员会各项工作制度建设的核心内容，它是通过明确调解人员的责任，确定具体任务，使责、权、利密切相结合的一项制度。岗位责任制度的内容很多，形式多种多样，其中最基本、最主要的内容是"三定一奖惩"，即定人员、定任务、定指标；完成任务奖励，完不成的减发一定比例的报酬或者奖金。

（二）纠纷登记制度

纠纷登记是人民调解委员会调解民间纠纷的依据，人民调解委员会对纠纷当事人的口头申请或者书面申请都应当进行纠纷登记。纠纷登记应当记明当事人姓名、性别、年龄、工作单位、家庭住址、事由，记录人签名或盖章，记明登记日期。人民调解委员会登记后，应当对纠纷进行审查，对不属于人民调解委员会调解范围的纠纷，要在稳定事态发展的基础上，告知当事人到有关部门申请处理。对属于人民调解范围的纠纷，应当以书面或者口头的形式告知当事人。人民调解委员会和调解小组均应当设立专门的纠纷登记簿，调解委员会每季度汇总后报司法所或司法助理员。

（三）统计制度

统计制度是人民调解委员会的一项基本的工作制度，对检查人民调解工作计划的落实情况、完成任务情况，研究分析矛盾纠纷发生、发展的新情况、新特点，发现人民调解工作中的问题等具有重要意义。

人民调解工作统计制度的内容有：①确定统计人员，建立统计簿册。②设立统计表（含人民调解委员会组织建设统计表、人民调解委员会工作统计表）。③统一统计标准。司法部下发的统计表中同时附有统计说明，人民调解委员会应按规定执行，避免漏报、重复上报数字的现象发生，确保统计数字的真实性和准确性。④及时汇总上报。人民调解委员会应于每月底将所登记并调结的民间纠纷按统计项目填表汇总，核对无误后上报司法所（司法助理员）。人民调解委员会工作统计表每季度、组织建设统计表每半年由司法所（司法助理员）上报县、区司法局。⑤建立统计档案，设立统计台账。人民调解委员会各种登记簿册、统计表按时间、年限分类装订成册，建立统计档案和统计台账，保管备查。

（四）文书档案管理制度

这也是人民调解委员会的基本工作制度。主要内容有：设立保管人员，规定必要的调阅、保管管理办法。做好文书的审查、装订工作。调解文书包括纠纷登记的原始记录、调查笔录、调解笔录、调解协议书，以及调解委员会对调解未成功的纠纷的处理意见及各种证明材料等。调解文书档案要求一事一卷，装订成册。一般保管期限为3年。

（五）回访制度

回访制度是指人民调解委员会对已调结的纠纷，特别是较复杂的或有可能出现反复的纠纷进行走访、了解情况的工作制度。人民调解委员会对调结的较复杂的纠纷、涉及多方当事人的纠纷、濒临激化的纠纷以及长时间存在矛盾的纠纷在协议履行期间或调解后的一段时间里应经常进行回访。回访后，对影响正常履行协议的各种隐患、纠纷动向、当事人的思想状况等要分析研究，提出解决的具体办法。对有激化苗头的，要果断采取措施，重大险情要及时上报。

（六）纠纷排查制度

这是人民调解组织定期对辖区内的民间纠纷进行摸底、登记、分类的一项工作制度，是人民调解组织了解掌握纠纷信息、有的放矢地开展调解工作的重要方法，也是人民调解工作向党委、政府反映社情民情，参加社会治安综合治理的措施之一。排查纠纷包括参加司法行政机关组织的排查和调解委员会根据纠纷情况自行组织排查。不管是哪种排查，人民调解委员会都要做好以下几个方面的工作：①明确排查的目的、意义；②掌握排查的时间、范围、方法；③逐门、逐户、逐人进行摸底排队，掌握纠纷的重点户、重点人；④填写排查工作统计表；⑤对应当由人民调解委员会调解的纠纷，落实调解人员，及时化解；不属于调解范围或调解不了的纠纷，及时上报；对排查中揭发出的犯罪线索，立即移交公安部门。

（七）纠纷信息传递与反馈制度

纠纷信息传递与反馈制度指通过各种渠道将民间纠纷的征兆或消息传送到人

民调解组织，人民调解组织对纠纷信息分析研究、加工处理后，将具体的调解意见传回纠纷发生地或传送到有关部门，为科学地预测、预防、疏导、调解民间纠纷提供依据的活动。纠纷信息传递与反馈制度的主要内容有：①建立信息传递与反馈组织。一般由调解小组或调解员担任纠纷信息员。②组织信息的传递。一种是纵向的传递，即将纠纷信息向上一级调解组织传递；一种是横向传递，即调解组织将信息传递给有关部门或共同调解的各调解组织。③做好信息的加工处理。人民调解组织应对获取的信息进行分析，按照矛盾纠纷的性质、轻重缓急进行处理，对可以解决纠纷的提出调解意见，反馈给基层组织；对带有普遍性、规律性、多发性的纠纷在调解的同时要提出预防、疏导的措施和建议；对容易激化的纠纷、群体性纠纷、群众性械斗应在稳定事态发展的基础上，报告基层人民政府或有关部门处理。④及时进行信息反馈，保障信息渠道的畅通，使调解组织、有关部门及时掌握纠纷情况，了解上一级调解组织的调解意见，便于有效疏导、调解。

四、进一步完善人民调解组织

人民调解被认为是我国多元化纠纷解决机制中的重要一环，长期以来为社会稳定做出了突出贡献，在国际上被誉为"东方经验"、"东方一枝花"。然而，从近年来的统计数字看，经人民调解组织调解解决的纠纷总量已从 20 世纪 90 年代初的 740 多万件下降到 500 万件左右。调解与诉讼的比例在上世纪 80 年代约为 17∶1，而这一比例在 2001 年已经下滑到 1∶1。在人口不断增加、纠纷总量及人民法院受理案件数量不断上升的情况下，这一变化的确表明人民调解组织受理和解决纠纷的总量及其解决纠纷的作用在降低。[1] 其中很重要的一个原因在于人民调解组织的建设不健全、不规范。

1. 改革开放以来，社会变迁对人民调解的基础环境产生着深刻影响，使得人民调解委员会的设置和运作出现障碍。工业文明将人们对土地的依赖打碎，原本安土重迁的人们从四面八方涌向城市，中国社会正在由一个"熟人的社会，没有陌生人的社会"[2] 向一个彼此陌生的社会转变。《人民调解委员会组织条例》明确规定：村民委员会、居民委员会下设人民调解委员会，在企业、事业单位根据需要设置人民调解委员会。但是，随着市场经济的发展和社会关系的变

---

〔1〕 吴宏文："试论人民调解制度的现状及完善"，载《河北广播电视大学学报》2002 年第 3 期。
〔2〕 费孝通：《乡土中国》，北京大学出版社 1998 年版，第 9 页。

动，原有经济组织的解体，生活区的拆迁，农村人口的大量外流及城市外来人口的分散，都使原有的调解机构消失或难以发挥作用。在农村，有些地方的基层组织趋于涣散；在城市，随着企业形式的变化，"单位"在人民生活中所起的作用越来越小，厂矿企业调解委员会在纠纷中所起的作用日益萎缩。[1] 而新企业和新建居民小区中，调解委员会和基层群众组织的建立又明显滞后，因此，出现了大量人民调解组织不能发挥作用的空白地带。另外，居民聚居区的人口结构也发生了变化，这使得人民调解委员会原来依靠对居民和职工的熟悉和了解来主动发现和解决纠纷的工作方式不再适应需要，因此调解活动的开展遇到了相当大的障碍。[2]

2. 是人民调解工作资金短缺问题十分突出，影响了人民调解组织的建设。人民调解的经费保障问题乃是推动新时期人民调解工作的关键性工作之一。若是人民调解培训经费、表彰经费、人民调解委员会的调解场所、人民调解员的误工补贴、工作经费等不到位，必然严重影响人民调解委员会的组织建设，制约人民调解工作的正常发展。然而，按照《人民调解工作若干规定》和《人民调解委员会组织条例》的规定，调解委员会的工作经费和调解员的补贴经费，由村民委员会或居民委员会、企业事业单位解决。这样的规定显然不能保证人民调解组织的建设有可靠的经费来源，因为村民委员会、居民委员会本身的经济能力十分有限，对人民调解组织的经费投入不可能保证人民调解工作的正常开展。在一些贫困地区，由于缺少经费而没有设立专门的调解委员会，也没有专职的调解员，调解工作形同虚设。

针对上述问题的存在，学者们提出了很多建设性的建议，主要有：

1. 加大资金投入，为人民调解组织的建设提供充足的物质保障。调解经费不宜采取多渠道筹措的方法，因为多渠道筹措可能会出现因筹措不到经费无法开展调解工作的情况，也可能会出现将人民调解变成一种盈利性活动的情况。所以，要从根本上解决人民调解运行难的问题，最好的办法是由政府投入。[3] 对人民调解的投入应当列入各级政府的财政预算。在数量上，政府的投入应既能保证用于开展人民调解工作所需的必要的办公经费、教育经费等，又要保证调解员能够获得必要的补贴。

2. 因势利导，培育新型民间组织中的调解机构。随着传统单位组织的解体、

---

〔1〕 尹伟民："人民调解制度面临的问题及对策"，载《辽宁行政学院学报》2003 年第 6 期。

〔2〕 吴宏文："试论人民调解制度的现状及完善"，载《河北广播电视大学学报》2002 年第 3 期。

〔3〕 于慎鸿："人民调解的困境与发展途径探析"，载《商丘师范学院学报》2005 年第 6 期。

变迁，旧的单位组织发生转型，新的组织形态正在生成。新型的民间组织发展迅速，社会组织化程度正在增强，国家应因势利导在各种类型的民间组织、行业协会中培育调解机构，扩大人民调解的组织基础。[1] 例如，可以考虑在高校内建立多层次的调解组织。[2]

3. 在调解组织和成员构成方面，应增加对调解员的司法培训，加强法律工作者的作用，以提高调解的质量，保证纠纷解决的公平性与效率。在提高现有人民调解员素质的同时，国家应该对法律人才实行新的用人机制，吸引优秀的法律人才充实人民调解员队伍，优化人民调解员的整体结构，等等。

思考题：

1. 城乡基层的人民调解委员会是怎样设置的？
2. 人民调解委员会是如何产生的？
3. 人民调解委员会有哪些基本工作制度？

---

〔1〕 范愉主编：《ADR 原理与实务》，厦门大学出版社 2002 年版，第 338 页。
〔2〕 何兵：《现代社会的纠纷解决》，法律出版社 2003 年版，第 199 页。

调解是一项修补心灵创伤的工作，是给受伤的心打补丁。人民调解员其实就是人民身边的布衣法官。

——全国模范人民调解员　李琴

第三章　人民调解员

第一节　人民调解员的条件

一、人民调解员的概念

学界对人民调解员并无统一的定义。在立法上，《人民调解工作若干规定》第2条指出：人民调解员是经群众选举或者接受聘任，在人民调解委员会领导下，从事人民调解工作的人员；人民调解委员会委员、调解员，统称人民调解员。人民调解员在人民调解委员会的领导下，具体从事人民调解工作，要服从人民调解委员会的领导和工作安排，要主动向人民调解委员会汇报工作，反映纠纷情况，要积极参加人民调解委员会组织的各种活动。

在人民调解的过程中，人民调解员作为保持中立地位的第三方参与、主持调解全局，提出解决争议的建议，对推进调解进程起着重要作用。调解工作能否健康顺利有效地开展，民间纠纷能否得到有效化解防治，与人民调解员的素质关系极大。因此，作为一名合格的人民调解员，必须具备法律规定的条件，具有与调解工作相适应的政治素质，思想素质、业务素质等从业素质。

二、人民调解员的条件

按照《人民调解委员会组织条例》和《人民调解工作若干规定》，人民调解员应当具备以下基本条件：

1. 为人公正。调解人员待人处事应该主持公道，正直无私，不偏不倚。在调解民间纠纷或向上级有关部门反映情况时，应实事求是，光明正大，不徇私舞弊，不贪赃枉法，不搞歪门邪道。

2. 联系群众。人民调解员处在社会综合治理的最基层，能够深入体察民情，充分发挥人熟、地熟、情况熟的优势调处纠纷，化解矛盾。调解人员在工作中，应发扬密切联系群众的作风，做到遇事与群众商量，虚心听取群众的意见；处理民间纠纷时，坚持调查研究，掌握客观实际情况，不凭主观臆断，摆事实讲道理，以理服人，不倚势压人；应树立为人民服务的思想，讲民主，谦虚谨慎，急群众所急，需群众所需，把群众利益摆在第一位。

3. 热心调解工作。调解人员必须热爱这项工作，才能树立高度的事业心，保持强烈的责任感，热情耐心，认真负责，不怕苦累，不惧艰险，积极为群众排难解纷，及时防止民间纠纷激化。

4. 具备一定的法律知识、政策水平和文化水平。人民调解员掌握与调解工作直接有关的法律和政策，是正确贯彻人民调解工作合法原则的前提和关键。人民调解员必须正确、全面掌握国家法律、法规和政策，以保证在工作实践中，严格依法办事，正确运用法律武器，自觉维护法律的尊严，维护纠纷当事人的合法权益。乡镇、街道人民调解委员会委员应当具备高中以上文化程度。

5. 成年公民。一般的，自然人随着年岁渐长，阅历渐丰，心智愈来愈健全，辨认和控制自己行为的能力愈来愈强。我国立法界认为，只有成年人才具备介入市民社会生活所需要的生理和物质基础，能独立处理个人事务和判断自己行为的社会后果。人民调解员所从事的工作需要高超的调解技巧和说服能力，非知识与阅历丰富、理智健全、思维敏捷、意志坚强、能负责任者莫属。根据我国《民法通则》第 11 条的规定，18 周岁以上的公民是成年人，具有完全民事行为能力，可以独立进行民事活动，是完全民事行为能力人。据此，只有 18 周岁以上的成年人才能担任人民调解员。

以上五条，是作为一名合格的人民调解员应当具备的基本条件，只要是具备了这些条件的公民，不分民族、种族、性别、职业、社会出身、宗教信仰以及财产状况等，都可以当选为人民调解组织的成员。

近年来建立的首席人民调解员制度是一项卓有成效的新事物。根据《人民调解工作若干规定》，首席人民调解员在调解纠纷时可商请有关部门和个人协助配合。首席人民调解员调处的纠纷，一般都是调解委员会调处不了而上报到司法科或调解中心的"老大难"问题。因此，对首席调解员的要求较高，必须具有中等专业技术职称，从事人民调解工作 3 年以上的人才能担任。很多首席人民调解员懂法律、有威信，有良好的群众基础和较高的素质，这些都是化解疑难纠纷的必要条件。首席人民调解员制度在某些地区试行以来，不仅为传统的人民调解工作带来了新血液，也有力促进了疑难纠纷的化解，提高了人民调解组织的综合调处能力。如2001年8月倍受媒体和社会关注的浦东梅园地区"高楼抛物致死案"就是由首席人民调解员多方协调主持化解的。[1] 上海市从积极探索人民调解专业化、社会化建设的理念出发，陆续在长宁区江苏路、北新泾、天山等街道试点组建了"人民调解李琴工作室"等专门的人民调解组织机构。"工作室"就是以首席人民调解员李琴命名的，充分说明了首席调解员在纠纷调解工作中的重大影响力，据《法制日报》报道，仅2005年前9个月"人民调解李琴工作室"就调解疑难纠纷70余起。

第二节　人民调解员应具备的基本素质

一、职业道德

《人民调解委员会组织条例》对人民调解员的职业道德并未作出明确规定，《人民调解工作若干规定》在这一点上弥补了《人民调解委员会组织条例》之不足，该规定第18条第2款对人民调解员的职业道德提出了明确的要求：人民调解员履行职务，应当坚持原则，爱岗敬业，热情服务，举止文明，廉洁自律，注重学习，不断提高法律道德素养和调解技能。

作为一种民间调解，人民调解工作的权威主要来自于其符合法律、符合文明社会公认的道德准则，而不像审判工作那样对国家强制力有强烈的依赖性。要使人民调解具备权威性与社会公信力，人民调解员自身首先应成为守法的表率，道德的楷模，热爱人民，忠于职守，清正廉明，刚直不阿，不徇私情，这样才能服务于民，取信于民，充分发挥人民调解工作的效能和作用。

二、业务水平

业务水平包括专业知识和分析问题、解决问题的能力。预防和处理民间纠纷的激化需要多方面的知识，尤其要掌握足够的法律知识，具备较高层次的法律水平。调解口才的展示是以实施法律为核心内容的。没有丰富的法律知识，就无法

---

[1] 文勇："上海市试行首席人民调解员制度的调查与思考"，载《中国司法》2002年第3期。

做到言语有据，论说有理。同时，调解还要求调解员既谙熟法律的具体规定，又能不拘泥于法律条文，能深刻领会法律的基本精神，不断更新、完善自身的法律思维和执法观念，将个人智慧融会于对案件事实的剖析和调解技巧之中。此外，还要有一定的阅历和实践经验，具有敏锐的洞察力，能体察民情，具有处理问题和解决问题的能力，有会做工作的技巧。值得一提的是，调解的过程不仅涉及法学知识，也涉及哲学、经济学、逻辑学、语言学、社会学、心理学、伦理学、美学、文学、医学等多种学科，比如，对于某些当事人之间存在一定情感对立的纠纷，调解人员必须从深层的心理原因出发去寻求根本上的解决办法，调解者在相当程度上具备心理学方面的素养和技术知识；尤其是调解主要是通过说服教育的方式曲折展开的，而语言表达艺术显然是一门综合素质高度结合的艺术，它需要调动各方面的知识和能力，需要扎实的专业知识和广阔的基础知识相融合，[1]调解技巧的优劣，往往与调解人员的综合素质的高低有着不可分割的联系，因此，调解人员要不断提高个人的科学文化水平，不断丰富司法和社会实践经验，以求在解决纠纷和依法调解之间，在知识结构和调解能力之间找到一个最佳的契合点。

案例 3 – 1

某村青年夫妇华某、刘某感情不和，找到调解员，双方都提出了离婚。经调解员调解，未能促成双方和好，于是开出了一张"经双方协商，村委会调解，同意离婚"的调解意见书，并盖上了村委会的大印。一年后，女方刘某经人介绍，与邻村何某确立了恋爱关系，双方持村里的调解书到乡民政办，要求办理结婚证。乡民政助理员告诉刘某，村里的调解意见不是法律文书，不具有法律效力，她与华某仍是合法夫妇。如果再与何某建立夫妻关系，就犯了重婚罪。村调解员得知后，立即拉上村委会主任，找到乡民政助理员质问："华某、刘某两人自愿离婚，村里又盖上了大红印，为啥不承认？"一番话说得乡民政助理员哭笑不得。[2]

调解员既是法律的贯彻执行者，又是法律知识的宣传员，调解员适用法律的

---

[1] 周玲："试论公安院校学生语言表达艺术的培养"，载《政法学刊》1999 年第 4 期。
[2] 案见谢秋明、邱长福："农村民事调解的误区"，载《中国民政》2003 年第 3 期。本案发生于最高人民法院《关于审理涉及人民调解协议的民事案件的若干规定》施行之前，对人民调解协议的效力的规定适用《民事诉讼法》有关规定。

水平直接影响到调解工作的质量和社会稳定，但现在如本案中的村调解员这样法律素质薄弱的调解员在基层还占据着一定的比例，因此，提高基层调解员的素质刻不容缓。

三、能力素质

（一）思维能力

有人说，口才展示的过程实际上就是把思维的结果表述出来，灵活、敏捷的思维是司法调解口才的灵魂。同样地，思维能力是衡量一名人民调解员业务水平高低的重要条件。在人民调解的过程中，调解员也必须通过思维形成具体的法律意识，并通过思维主导对语言的运用、以传达意识。在调解实践中，经常要通过观察分析、判断推理、综合归纳等思维活动来组织语言，完成口语表达。调解人员是否具备敏锐的洞察力，严谨的逻辑思维，能否系统、全面、准确地分析问题和判断是非，主要表现在：①通过调查研究，在尽可能全面掌握案件信息的基础上，透过纷繁复杂的信息群，甄别筛选并最终断定案件的真实情况；②通过调查研究，了解当事人的心态和思想倾向，从而判断调解结案的可能性；③在查明事实、明辨是非的基础上，理清法律关系，抓住主要矛盾，确定当事人争执的焦点和案件的关键人物，确定调解方案并及时进行调整，等等。

（二）应变能力

调解实践中，案件千差万别，当事人心态与个人素质亦有别，同一个案件也时刻处于变化之中，因而调解难以有固定的模式，调解人员只能因案制宜，随机应变，有的放矢，坚持具体问题具体分析，根据不同的时间、地点和条件，审时度势地作出决定，迅速地采用相应措施来对付复杂多变的局面。比如有的案件可以采取面对面的调解方式，有的则只能采取背靠背的调解方式；对于婚姻家庭纠纷可把重点放在社会地位、经济条件相对强的一方身上；对于人身损害赔偿则把重点放在加害人一方；对群体性纠纷案件，则要把工作的重点放在有影响的"带头人"身上。[1]

---

[1] 陈波："做好调解工作的几点体会"，载《山东审判》2005年第4期。

（三）表达能力

不言而喻，调解各种民间纠纷需要较强的语言表达能力。较高的语言表达能力有利于人民调解员充分调动各种语言技巧，尽快化解矛盾，达到预期效果。一方面，完成作为人民调解工作重要任务之一的法制宣传工作需要相当的驾驭语言的能力。调解员直接面对最基层的人民群众，无论是法律知识的解答咨询，还是法律条文的宣传，都必须深入浅出，让不同文化层次、不同年龄阶段乃至不同民族的男女老少都能听懂，这些离开了工作人员较高的语言表达能力是不可想象的。另一方面，由于当事人之间的知识水平、阅历与论辩能力的差异，往往将论辩能力较差的一方置于不利的地位，而通过调解人员认真听取辩论能力较差的一方的意见，并把这些信息在头脑中重新进行整理以后再为他们"搭桥"，无异于对处于不利地位的当事人的论辩能力进行了补足，其主张的客观性和说服力都大大加强，这当然有助于帮助当事人实现自己的权利。劝说者应充分发挥口齿清楚、语言条理分明、重点突出、逻辑性强的特长，使疏导工作具有吸引力、感染力、号召力，并在循循善诱的规劝中，在通情达理的批评中表现出来，诱导当事人之间达成合意。

（四）自控能力

调解人员要端正动机，始终保持清醒的理智和豁达的心态。①工作方法要科学，不可在调解过程中有"先入为主"的成见，从而对某一方的当事人偏听偏信，而应有对双方当事人一视同仁的胸怀和态度；②在工作中不得掺杂个人恩怨，不做感情的俘虏；③在调解时应时刻保持豁达大度，心平气和，不急不怒。产生纠纷的双方通常都是怒气冲冲满腹怨气而来，为了维护各自的利益而针锋相对，往往公说公有理，婆说婆有理。很多当事人钻了牛角尖，一开始脾气很大，情绪失控，措辞激烈，恶语相向。当事人这种恶劣的态度延伸到与调解人员的交谈之中，迁怒于调解人员，对调解人员失去了应有的礼貌和尊重。作为中立人的调解员此时决不可受双方当事人情绪的干扰，不可急躁动火或掺和进去，而是必须保持冷静的头脑，平和的情绪，想方设法使当事人先冷静下来，要掌握好双方情绪的发展，找准时机再替双方进行冷静合理的分析，调解成功的概率就会增大。

四、全面提高调解人员的素质

在社会转型的新形势下，民间纠纷在数量、主体、内容及表现形式等各方面都发生了很大变化，对人民调解工作提出了新的、更高的要求。虽然近年来调解人员的素质有了全面的提高，但仍普遍存在年龄偏大、文化程度偏低、法律知识欠缺、工作方法与思想观念陈旧、兼职过多、精神状态疲软等问题。有些调解主任同时担任治安、民政、卫生、双拥等工作，客观上削弱了人民调解工作的实际效果。尤其是调解人员大多没有受过正规的法律专业教育，调解多依赖道德和习俗、纠纷解决的经验及调解人员自身的威信，而不能对纠纷作出正确的法律上的分析与判断，难以熟练运用法律、法规调解纠纷，这直接影响到人民调解的实际效果。另外，不注重对纠纷当事人民事权利的保护，为淡化当事人权利意识而化解纠纷的"和稀泥"式的调解相当普遍。人民调解应当把解决民事权利义务争议，保护当事人的合法权益作为调解的首要任务和基本功能。而在现实生活中，调解者往往把缓解矛盾、息事宁人作为优先考虑的目标，不但不鼓励当事人提出正当的权利主张，为达成和解反而尽量压抑当事人的权利主张。当事人的权利意识一旦觉醒，可能会导致矛盾激化。[1] 观念上的差距也使当事人对调解人员难以信服，调解效果自然受到影响。

导致上述问题出现的原因是多方面的，主要的原因有三。①立法上对人民调解员队伍缺少严格的准入条件的规定。《人民调解委员会组织条例》和《人民调解工作若干规定》表明，只要具有高中文化程度的人便可以担任乡镇、街道人民调解委员会委员，而对农村、城市居民委员会调解员的文化程度没有具体明确的要求。如此笼统而低标准的规定难以确保高素质人才进入人民调解员队伍。②由于人口的流动性增强，在广大的农村选拔高素质的人员担任人民调解员有很大的难度。在市场经济大潮的冲击下，农民纷纷离开乡土务工或创业，且外出的农民往往为青壮年劳力和有一技之长者，是农民队伍中的精英分子，长期守候在家的多为老人、妇女和儿童。这种状况造成可供选拔的人民调解后备人才十分有限。③广大基层人民群众的生存压力还很大，即使有符合条件的可供选拔的人员，也往往因为人民调解员待遇低或者担心影响自己的生产经营活动而拒绝从事此项工作。上述原因造成了调解员队伍文化水平不高，政策、法律知识水平较低，年龄老化等问题较为突出，这种状况极大限制了人民调解事业的发展。

在新的历史条件下，合格的人民调解员必须具备与调解工作相适应的从业素质，要有事业心和责任感，有良好的品行，有一定的法律知识和政策水平，有相当的科学文化知识。提高人民调解员的基本素质有多种途径。加强人民调解员队

---

〔1〕 尹伟民："人民调解制度面临的问题及对策"，载《辽宁行政学院学报》2003 年第 6 期。

伍建设，着力提高人民调解员队伍的整体素质，首先应该把好调解员的选任关，改革调解员选任制度，提高人民调解员的准入门槛，建立专业化的人民调解员队伍。可考虑建立人民调解员资格准入制度，由国家或地方组织人民调解员资格考试，只有取得人民调解员资格的人才能被选为或聘为人民调解员。其次可以大力推广首席调解员制度、调解员持证上岗制度等行之有效的做法和经验。为激励调解员不断学习业务知识，提高业务能力，应建立人民调解员等级制度，定期对人民调解员的业务能力、工作业绩、知识水平进行评定，在此基础上确定人民调解员的等级，根据其等级给予不同的待遇。再次，加强对人民调解员的继续教育，举办各种形式的学习班、研讨班，通过采取轮流培训、在岗业务学习、相互交流经验等多种形式对调解员进行系统培训，重点学习《民法通则》、《合同法》、《婚姻法》、《继承法》、《担保法》等一些与人民群众生产生活密切相关的法律、法规及有关司法解释，并以立法形式将调解人员的培训工作制度化、规范化。从西方的经验来看，还可以考虑将律师和退休法官引入人民调解员队伍等等。

第三节　人民调解员的权利与义务

一、人民调解员的纪律

《人民调解委员会组织条例》规定人民调解委员会调解纠纷必须遵守五条纪律，《人民调解工作若干规定》第17条重申了上述工作纪律，并且扩大适用到人民调解员。

人民调解员调解纠纷，必须遵守下列纪律：

1. 不得徇私舞弊；
2. 不得对当事人压制、打击报复；
3. 不得侮辱、处罚纠纷当事人；
4. 不得泄露当事人隐私；
5. 不得吃请受礼。

遵守人民调解工作纪律，要求人民调解员不因与当事人的远近亲疏而偏袒一方当事人；不因当事人与自己观点不同而限制当事人讲话，甚至强迫压制当事人；不因当事人态度不好或者不服调解而使用侮辱性语言或者处罚当事人；不因了解掌握当事人有关情况而泄露当事人不愿告人的或不愿公开的事情，防止违法乱纪的现象发生。

案例 3 - 2

1993 年 2 月，北京市昌平区崔村镇麻裕村调解主任纪文刚刚上任不到两个月，他的本家哥哥因与村干部的个人矛盾，到村委会无理取闹，将村委会的玻璃、电话砸坏。纪文刚得到消息后，立即赶到现场，制止了事态的恶化，并查明这次事件的主要责任在自己的哥哥。他毫不客气地批评并教育了哥哥，并作出按价赔偿，否则将移交有关部门处理的决定。哥哥没想到自家人不向着自家人，胳膊肘反而往外拐，气得火冒三丈。父亲和亲戚听说弟弟处理了哥哥，也说纪文刚一当官就六亲不认，拿自家人开刀有悖常理，相继来说情。纪文刚耐心而诚恳地说："我刚当调解主任，处理第一件纠纷，又是我的家里人，我这碗水不端平，今后还怎么做别人的工作，让我有何脸面面对全村的乡亲们？"一席话打动了父亲，也得到了亲友们的理解。之后，纪文刚又多次上门做哥哥的工作，终于使哥哥向村委会做了检讨，如数赔偿了损失。

在该案中，全国模范人民调解员纪文刚严格遵循有关法律所规定的纪律，杜绝徇私舞弊，不因亲情关系而偏袒一方当事人，显示了一名优秀人民调解员高尚的职业道德和令人信服的业务素质。值得一提的是，若本案发生在 2002 年司法部《人民调解工作若干规定》施行之后，对方当事人可根据该规定第 6 条第 2 项的规定，申请有关调解人员回避。[1] 但在《人民调解工作若干规定》的人民调解员的义务条款中并未明确规定其回避义务。在人民调解的过程中，调解人员应始终排除任何个人利益的存在，才能处于中立地位，并对当事人的主张作出客观公正的判断和帮助当事人达成令其信服的协议。如果调解员在民间纠纷中有自己的利益，就极有可能失去中立的立场，或明或暗地站在与自己利益一致的当事人一方，共同对付另一方当事人，采取欺骗、诱导甚至强迫的手段使其就范。然而，现实中调解人员大多与被调解者居住在同一区域，经常有各种来往，甚至沾亲带故，受到各种关系的影响，这样调解人员很容易与某些民间纠纷有利害关系，并因此而失去中立地位，一旦发生与调解人员有利害关系的纠纷进行调解，容易出现违背调解原则的情况，即使达成了调解协议也易反悔，或者中途转入诉

---

[1] 《人民调解工作若干规定》第 6 条：在人民调解活动中，纠纷当事人享有下列权利：（一）自主决定接受、不接受或者终止调解；（二）要求有关调解人员回避；（三）不受压制强迫，表达真实意愿，提出合理要求；（四）自愿达成调解协议。

讼的渠道，或者让纠纷继续存在，这样人民调解化解纠纷、合理分担司法负担的功能就无法充分发挥。正是由于调解要求调解人员保持中立的地位，有学者建议将调解人员的回避制度明确制定入人民调解员的义务条款中，以增进人民调解的功能。[1]

二、人民调解员的权利

人民调解员直接处理民间纠纷，最直接地与广大基层群众打交道，在遇到纠纷当事人的任何一方的调解要求没有得到满足的情况下，不可避免地会承担一定的风险。实践中，人民调解员因调解纠纷而受到辱骂、挨打、报复，甚至家庭财产被损坏、家人受到牵连的情况时有发生。调解工作的风险性的存在一定程度上制约了调解工作的深入展开。一些调解员为了防范风险，防止自己的人身和财产利益遭受无端侵害，对调解工作采取一种敷衍的态度，缺乏持之以恒的精神，尽量回避矛盾焦点，不去触及问题的实质，浅尝辄止，不为也不敢为。尤其是在遇到一方或双方当事人为无赖恶人时，不但不敢深入调解，甚至会作无原则的调解，以牺牲弱者的利益为代价。[2] 为了保护人民调解员的人身、财产权益免受非法侵害，扫除人民调解工作的障碍，《人民调解工作若干规定》第18条第1款规定，人民调解员依法履行职务，受到非法干涉、打击报复的，可以请求司法行政机关和有关部门依法予以保护。相对于《人民调解委员会组织条例》对该项规定的空白，这无疑是重大进步，但是对于真正实现调解员职务上的保护是远远不够的。如果没有配套的保护机制，必然会给调解工作带来障碍。只有解决了调解人员的后顾之忧，才能充分调动其工作的积极性。因此，不但要完善对调解员的奖励和惩罚措施，还要从立法上明确职务保护机制。[3]

---

〔1〕 翟东堂："人民调解制度的社会功能及其完善"，载《商丘师专学报》1999年第3期。

〔2〕 于慎鸿："人民调解的困境与发展途径探析"，载《商丘师范学院学报》2005年第6期。

〔3〕 顾敏、邓红蕾："乡土社会中的特殊法律人——浅议我国乡土社会中的人民调解员"，载《行政与法》2005年第6期。

第四节　人民调解员的选任

一、人民调解员的产生

《人民调解委员会组织条例》规定人民调解委员会委员由选举产生。《人民调解工作若干规定》第 15 条将人民调解员的产生方式拓宽为选举和聘任两种。根据该条规定，人民调解员除由村民委员会成员、居民委员会成员或者企事业单位有关负责人兼任的以外，一般由本村民区、居民区或者企事业单位的群众选举产生，也可以由村民委员会、居民委员会或企事业单位聘任。乡镇、街道人民调解委员会委员由乡镇、街道司法所（科）聘任。区域性、行业性的人民调解委员会委员，由设立该人民调解委员会的组织聘任。人民调解员任期 3 年，每 3 年改选或者聘任一次，可以连选连任或者续聘。[1]

二、人民调解员的补选

人民调解员不能履行职务时，由原选举单位或者聘任单位补选、补聘。补选的程序，与人民调解委员会换届选举的程序相同。

三、人民调解员的撤换

人民调解员严重失职或者违法乱纪的，由原选举单位或聘任单位撤换。对有上述行为的人民调解委员，原选举单位有权根据选民或选民代表的多数意见予以撤换，并及时进行补选。

思考题：

1. 有人说："调解员作为调解的主持人，其公正性和效率性一样是调解的生命所在，是调解事业发展强大必不可少的因素，其职业道德的好坏、责任心的

---

[1] 然而调查表明，某些地区只有少数调解员是经过选举产生的，其任期与村干部一样，同是 3 年，其选举也与村干部选举同步进行。而乡土社会中的大多数人民调解员是由村委会或居委会的成员兼任的，并非民主选举产生。可参见顾敏、邓红蕾："乡土社会中的特殊法律人——浅议我国乡土社会中的人民调解员"，载《行政与法》2005 年第 6 期。

强弱、守法与违法的状况、专业水平的高低，直接影响调解事业的发展。"[1]

你如何看待此观点？

2. 费孝通先生曾在《乡土中国》一书中形象地描述了乡村中调解："在乡村中所谓调解，其实是一种教育过程。我曾在乡下参加过这类调解的集会。我之被邀，在乡民看来是极自然的，因为我是在学校里教书的，读书知礼，是权威。其他负有调解责任的是一乡的长老。最有意思的是保长从不发言，因为他在乡里没有社会地位，只是个干事。调解是个新名词，旧名词是评理。差不多每次都由一位很会说话的乡绅开口。他的公式总是把那被调解的双方都骂一顿。'这简直是丢我们村子里脸的事！你们还不认了错，回家去。'接着教训了一番。有时竟拍起桌子来发一阵脾气。他依着他认为'应当'的告诉他们。这一阵却极有效，双方时常就'和解'了，有时还得罚他们请一次客。我那时常觉得像是在球场旁看裁判官吹哨子，罚球。"

请你回答以下问题：

（1）传统的民间调解有什么特点？在人民调解的过程中，我们如何继承和发展这些特点？

（2）你如何看待调解与球场上的裁判员吹哨子、罚球十分相似这一观点？

（3）你认为调解就是"和稀泥"、"各打五十大板"吗？

（4）你如何理解调解的过程也是教育的过程？

---

[1] 周蕾："论调解员责任"，载《中国科技信息》2005年第10期。

下编　实务技巧编

由于调解赋予当事人拒绝的权利，因此可以不必在通过证据的审查逐一认定事实和法律规范的辩论解释上花费时间，也可以不用花钱请律师来处理复杂的程序，当事人能够一下就进入所争议问题的核心，谋求纠纷的圆满解决。

——棚濑孝雄

第四章　调解纠纷的程序

调解纠纷的程序，是根据法律、法规的规定，并结合多年的调解实践，予以总结出来的一般工作程序。

第一节　受理纠纷

当事人因自己的民事权益受到侵害或者发生争议时，而向调解委员会提出申请，要求调解委员会分清是非，解决争议时，调解委员会对申请进行审查，予以接受的行为是受理纠纷。

一、人民调解受理的范围

人民调解受理的范围，是指哪些纠纷由人民调解组织受理和解决。明确这一点，可以确定人民调解组织解决纠纷的职责划分，即确定人民调解组织与人民法院和行政机关之间的职责划分，使各种民间纠纷在不同的组织范围内具有一种合理解决的途径，从而更好地发挥人民调解组织作为群众自治组织自我教育、自我管理、自我服务的作用。

1. 人民调解组织受理民间纠纷。根据《人民调解委员会组织条例》和《人民调解工作若干规定》的规定，人民调解组织的首要任务为调解民间纠纷。

为了适应民事法律关系的主体日趋多元化，民间纠纷的范围越来越广，内容越来越复杂，表现形式越来越多样化的新形势，《人民调解工作若干规定》对民间纠纷的主体和范围作出了更为明确的界定。规定："人民调解委员会调解的民间纠纷，包括发生在公民与公民之间、公民与法人和其他社会组织之间涉及民事权利义务争议的各种纠纷。"[1] 在实际生活中，公民与法人和其他社会组织之间涉及民事权利义务关系的纠纷十分广泛，如农村土地承包过程中产生的各种纠纷，农业产业化服务中的合同纠纷，划分宅基地、财务管理等方面的纠纷，这类纠纷的主体往往是农村村民与农村合作组织、经济组织，乡镇企业等；企业在转制、租赁、兼并、破产、收购、转让过程中与职工之间的纠纷，或者因拖欠职工工资、医疗费等发生的纠纷，这类纠纷的主体为企业职工与其所在的企业；城市街道市政建设、危旧房屋改造过程中因拆迁、安置、施工、噪音、道路交通等引发的纠纷，这类纠纷的主体主要是城市居民与城市市政管理组织、施工单位、企业事业单位等。这些纠纷在性质、内容和表现形式上都符合民间纠纷的特征，应当也完全可以纳入人民调解工作的范围。

对于《人民调解工作若干规定》第20条规定的人民调解委员会处理纠纷的范围，部分学者认为过于狭窄，应当予以扩大。从主体上，可以将人民调解的范围扩大到法人之间，法人与其他社会组织之间以及其他社会组织之间发生的纠纷；调解的内容可以拓展到涉及人身、财产、经济、管理、道德等诸多领域，等等。可以说，凡是法律没有明确规定必须通过某种途径解决，而且为当事人可以自由处分的权利纠纷案件，都可以纳入人民调解的范畴。除了传统的民事纠纷领域，刑事诉讼法上规定的属于自诉类的案件也可以通过调解解决。我国台湾地区即赋予乡、镇、市调解组织对自诉刑事案件进行调处的权力。德国中介人制度也赋予调解组织解决侮辱、侵入私宅、轻微人身伤害等轻微刑事案件的权力。事实上，在中国古代，民间调解的范围也包括了民间纠纷和轻微的刑事案件。在人民民主革命时期，陕甘宁边区以及其他各解放区也都准许民间组织对一定范围的刑事案件进行调处。建国后随着国家权力对社会的全面介入，民间调解组织对刑事案件进行调处被限制和禁止。随着改革的进一步推行，国家权力从社会诸多领域逐步退出，准许民间对一定刑事纠纷以及行政纠纷进行调处应是合理而且是必要的选择。[2]

2. 对人民调解受理范围的限制。为了科学界定人民调解工作的职责，也为便于实践中操作，保证人民调解的合法性，《人民调解工作若干规定》第22条规定：人民调解委员会不得受理调解下列纠纷：法律、法规规定只能由专门机关

---

〔1〕 可参见《人民调解工作若干规定》第20条。
〔2〕 何兵：《现代社会的纠纷解决》，法律出版社2003年版，第198页。

管辖处理的，或者法律、法规禁止采用民间调解方式解决的；人民法院、公安机关或者其他行政机关已经受理或者解决的。

案例 4 - 1

何某与陈某系妯娌。某日，何某牵着牛经过陈某家门口时，牛刚巧拉了一堆粪便。何某并未在意，但陈某却破口大骂起来，何某也不相让，两人较上了劲，且越吵越凶，双方竟动起手来。何某顺手一推，导致陈某椎骨骨折。陈某的丈夫与何某的丈夫系亲兄弟，关系融洽，但面对卧病在床的妻子和沉重的医疗费用，陈某的丈夫只得要求兄弟夫妇俩承担医疗及其他费用，双方就此事多次协商无果。该镇的人民调解委员会接到陈某夫妇的求助后，受理了这个纠纷。他们对双方作了利害上的分析，最后两家人自愿达成调解意见，陈某一次性获赔医疗费、误工费、交通费、生活补助费等共计8.5万元。

这起民间纠纷本系一起造成轻微伤害的刑事纠纷，可由法院处理，但兄弟两人为了不伤亲情，选择以调解方式调处伤害赔偿问题，使伤害得到了及时有效的赔偿。

二、人民调解受理的管辖

人民调解受理的管辖即人民调解组织之间受理调解纠纷的具体分工。根据《人民调解工作若干规定》第21条规定：民间纠纷，由纠纷当事人所在地（所在单位）或者纠纷发生地的人民调解委员会受理调解。村民委员会、居民委员会或者企业事业单位的人民调解委员会调解不了的疑难、复杂民间纠纷和跨地区、跨单位的民间纠纷，由乡镇、街道人民调解委员会受理调解，或者由相关的人民调解委员会共同调解。

1. 一般民间纠纷的受理。根据《人民调解工作若干规定》第21条的规定，一般民间纠纷的受理可以分为两种情形：

（1）按照当事人所在地（所在单位）来确定受理纠纷的调解组织，条件是双方当事人应处于同一辖区或单位内。"当事人所在地"是指当事人的户籍所在地，居住地与户籍所在地不一致时，以居住地为准。如果当事人是未成年人或者限制行为能力、无行为能力人，则应以其家长或监护人的所在地来确定。如果纠纷双方当事人是企业职工，并且其纠纷发生在其工作单位的，则应由双方当事人所在单位的人民调解组织来受理。

（2）以双方当事人的纠纷发生地为标准，来确定受理纠纷的人民调解组织。属于这种情形的包括：因侵权行为发生的纠纷，可以由侵权行为地的人民调解组织受理；因不动产产生的纠纷，可以由不动产所在地的人民调解组织受理；因遗产继承所产生的纠纷，可以由被继承人生前户籍所在地或主要遗产所在地人民调解组织受理；因民事合同产生的纠纷，可以由合同缔结地或合同履行地的人民调解组织受理等等。

2. 复杂、疑难和跨地区、跨单位民间纠纷的受理。根据《人民调解工作若干规定》第21条的规定，复杂、疑难和跨地区、跨单位民间纠纷的受理，也分为两种情况：

（1）由乡镇、街道人民调解委员会受理。与一般纠纷不同，复杂、疑难和跨地区、跨单位民间纠纷，当事人可能处在不同的地域内，或者纠纷涉及不同单位和地区的利益，或者纠纷应当适用的法律、政策比较复杂、调解难度较大。这样的纠纷，由村（居）人民调解组织来受理调解往往力不从心，而由乡镇、街道人民调解委员会来受理则具有较多的优势和便利。

（2）共同受理。共同受理是指对同一个民间纠纷，两个或两个以上的人民调解委员会都可以受理。在共同受理中，可以由一个人民调解委员会受理，其他有关的人民调解委员会派员参加，共同调解；也可以由几个有关的人民调解委员会共同受理，共同调解。由于一些复杂、疑难和跨地区、跨单位的民间纠纷涉及关系复杂，由一个人民调解组织受理难度较大，而由几个相关人民调解委员会共同受理调解，相互配合，及时沟通、形成合力，有利于纠纷的顺利解决。

三、受理的方式

人民调解委员会受理纠纷有两种方式：①主动受理；②申请受理。

（一）主动受理

主动受理是调解委员会发现纠纷后，不等当事人申请，就主动及时地前往调解。这种受理方法迅速、及时，适用调解处于初发阶段的纠纷和容易激化的突发性纠纷。基于人民调解的任务就是调解民间纠纷，防止民间纠纷激化，维护社会稳定，这就要求人民调解委员会以社会稳定为自己的工作目的，积极主动地提供调解服务，及时发现矛盾，主动化解纠纷，如果不主动解决矛盾纠纷，就无法防止矛盾激化，就会使人民调解失去维护社会稳定第一道防线的作用。

主动受理和人民调解自愿的原则并不矛盾。前者是工作的态度与方式，后者是工作的根本要求，两者必须有机地结合起来，才能顺利完成人民调解的工作任务，将民间纠纷的激化消弭于青萍之末。

（二）申请受理

申请受理是纠纷当事人的一方或双方以口头或书面材料要求调解委员会解决他们之间的纠纷。这是调解委员会广泛采用的受理方法。无论是口头提出，还是书面申请，都必须说明争议的事实、自己的主张和支持其主张的证明材料。

无论通过哪一种方式受理纠纷，都应遵循自愿的原则，尊重当事人的诉讼权利，不能强迫当事人接受调解。对于当事人明确表示不愿意接受调解组织调解的，人民调解组织应当尊重当事人的选择，而不能强行调解。

四、受理民间纠纷的条件

根据《人民调解工作若干规定》第 24 条的规定，人民调解委员会对于当事人申请调解的纠纷，要进行审查，根据不同情况区别对待。对于符合以下条件的，人民调解委员会应当及时受理。

1. 有明确的被申请当事人。纠纷当事人在向人民调解委员会提出申请时，应当说明与其发生纠纷的对方当事人，即被申请人的情况，包括姓名、性别、住址、工作单位等。如果被申请调解人是法人或其他社会组织，则应当说明其单位地址、法定代表人姓名等基本情况。

2. 有具体的调解要求。申请调解的当事人要说明请求调解所要解决的问题和要达到的目的，如要求被申请人返还财产，赔偿医药费，要求与被申请人解除婚姻关系或者给付抚养费等。

3. 有提出调解申请的事实依据。申请人应当提出申请调解所根据的事实，即纠纷的事实，包括纠纷发生时的事实情况及相应的证据。

4. 申请调解的纠纷必须属于《人民调解工作若干规定》第 20 条规定的人民调解委员会受理的范围，并应当由该人民调解组织受理。

五、受理纠纷的方法步骤

1. 接待当事人。

2. 审查当事人的申请。调解委员会在受理纠纷时要认真审查当事人的申请，对于没有法律、法规禁止事由的申请，就应当受理。根据《人民调解工作若干规定》第24条第2款的规定，对于当事人申请人民调解组织调解，经过审查又不符合受理条件的纠纷，人民调解委员会应当向当事人作出解释，并且告诉当事人到相关部门要求处理。如对违反《治安管理处罚条例》的行为，应主动与公安机关联系并告知当事人到公安机关去解决；如果是依法应当由人民法院审理的纠纷，应告知当事人向人民法院提起诉讼。但对随时可能激化的民间纠纷，应当在采取必要的缓解疏导措施后，及时提交有关机关处理。

3. 制作接待笔录。凡是决定受理的纠纷，调解人员应认真制作接待笔录。

4. 纠纷登记。调解委员会受理的纠纷，都要进行登记。对于口头申请，调解人员应认真听取当事人对纠纷情况的陈述，并按陈述的内容进行纠纷登记。进行纠纷登记应遵循实事求是的原则，严肃认真地将当事人的原话原意记录在案，切不可加入调解人员的主观想象与分析判断。对于一些可以即时调解的简单的纠纷，也可调解后补办登记。

第二节　调解的进行

一、调解的准备

除了是非分明、情节简单、事实清楚的纠纷可以在受理后直接进入调解阶段外，一般情况下，人民调解委员会应当在调解前做好相应的准备工作。

根据《人民调解工作若干规定》第25条的规定："人民调解委员会调解纠纷，应当指定一名人民调解员为调解主持人，根据需要可以指定若干人民调解员参加调解。当事人对调解主持人提出回避要求的，人民调解委员会应当予以调换。"

人民调解委员会受理纠纷后，即应指定调解员主持调解；如果是比较重大复杂的纠纷，还应组成合议庭，指定首席调解员。独任调解员或合议庭接到人民调解委员会指派后，就须进行必要的准备工作，一是让当事人提交或收集必要的证明材料，二是作好必要的事务性工作，保证及时进行调解。

在确定调解主持人时，应当遵守有关回避的规定。即调解人员对与本人有特定关系的纠纷不应承担调解任务，以维护人民调解的公正性。有下列情形之一的，调解人员应自动回避或者根据当事人的申请回避：①调解人员是当事人的近亲属；②调解人员与该纠纷的处理结果有利害关系；③调解人员与当事人有其他关系，可能影响该纠纷的公正解决；④有其他正当理由的。对于当事人提出回避请求的，人民调解委员会应另行指定调解人员调解，或由当事人提名、双方都同意的调解人员主持。

调解委员会对已受理的纠纷，要迅速处理，尽量不推、不拖、不积压。但在纠纷较多，不能及时处理时，应分轻重缓急，有计划地逐一安排处理，并将调解日期告知当事人。

二、调查研究

查清事实，分清是非，这是做好调解工作的前提和达成调解协议的基础。根据《人民调解工作若干规定》第 26 条的规定，人民调解委员会调解纠纷，应当分别向双方当事人询问纠纷的事实和情节，了解双方的要求及其理由，根据需要向有关方面调查核实，做好调解前的准备工作。调查的目的，主要是弄清纠纷情况，判明纠纷性质和纠纷产生、发展及结果的客观事实，以便正确圆满地解决纠纷。调查的内容包括民间纠纷的性质、发生的时间、地点、起因、经过、争执的焦点、证据和证据的来源；当事人的个性特征和当事人对纠纷的态度；对纠纷当事人起影响或制约作用的各种因素和社会关系；群众对纠纷的评价意见等。调查研究必须坚持群众路线，坚持实事求是的原则，对被调查人所作的有关纠纷的正反两方面的陈述都要耐心、认真地听取，防止先入为主，偏听偏信，主观臆断。调解委员会受理纠纷后，应在认真分析当事人陈述材料的基础上，根据调解纠纷的需要，亲自到纠纷发生地和争执标的物所在地，向当事人、知情人及其附近居民群众和工作单位，调查了解纠纷情况，收集第一手材料，弄清纠纷的事实真相。调查研究应明确重点，事先考虑好调查的方法步骤。调查研究是一项艰苦、细致的工作，对不同身份的人提供的材料，都要仔细分析，查对和核实。调查过程中，调解人员应把调查的情况作出详细的笔录，必要时可由被调查人写出书面材料。现场调查时，可以对物证或者现场进行观察和测量，对调查情况和结果，应当制作笔录。

三、分析材料，制定调解计划

（一）分析材料

调解委员会要运用通过调查获得的有关纠纷的材料，弄清事实真相，判明是非，就必须对材料进行具体分析和综合分析，确定它的可靠性，从而找出正确的调解方法。

1. 分析材料的原则。分析材料要以马克思主义认识论为指导，坚持事实求是的原则，运用辩证唯物主义的立场、观点和方法把获得的材料去粗取精、去伪存真，对材料进行逐个具体分析和整体上的综合分析，以便得出最为接近事实真相的正确结论，最后根据分析情况制定出调解计划。

2. 分析的方法

（1）具体分析。调解委员会把从各种途径获得的有关纠纷的材料，进行逐个的分析评价，研究它是否真实以及对解决纠纷有无意义的过程，称为具体分析。

（2）综合分析。调解委员会将有关纠纷的全部事实和所搜集到的材料进行比较鉴别，综合分析研究，弄清事实，依照法律判明是非的过程，是综合分析。

（二）拟定调解计划

1. 调解计划的内容。

（1）纠纷概况；

（2）争执的焦点；

（3）调解具体纠纷所涉及的法律、法规、政策条款；

（4）对调解可能达成的协议的基本设想；

（5）调解方法和工作重点。

2. 调解计划的制定与调整。调解计划，应由担负调解的调解人员亲自制定，调解疑难纠纷时，一般要写成文字计划，但调解时，不能机械地按计划办，应根据当时的具体情况，灵活有效地把握调解活动的进程，随时调整计划。对于通过一次调解难以解决或容易出现反复的纠纷，应当事先做好实施多次调解的准备。在遇到疑难、复杂纠纷时，应经调解委员会集体讨论，集思广益。

四、实施调解

（一）调解场所

现实中人民调解委员会进行调解一般都没有正式地点和形式，只有极少数地区的人民调解委员会是在人民调解庭上进行调解的。但根据《人民调解工作若干规定》第 28 条的规定，人民调解委员会调解纠纷，一般在专门设置的调解场所进行，根据需要也可以在便利当事人的其他场所进行。人民调解委员会应当创造条件，设置专门用于进行人民调解活动的场所，如人民调解室等。对于一些事实清楚、情节简单、争议不大、可以即时调解的纠纷，以及当事人提出明确要求的，人民调解委员会从便利当事人的角度出发，也可以在其他场所，如当事人所在的车间、工段、田间、地头进行调解。

（二）调解的主要步骤

1. 告知权利义务。《人民调解工作若干规定》第30条的规定："人民调解委员会调解纠纷，在调解前应当以口头或者书面形式告知当事人人民调解的性质、原则和效力，以及当事人在调解活动中享有的权利和承担的义务。"

2. 听取双方当事人的陈述，进行说服教育，劝导工作。

在调解开始后，调解主持人要积极、耐心地引导当事人进一步讲清纠纷的事实真相，并在当事人陈述的过程中进一步查明事实，分清双方责任。

对当事人进行说服劝导工作，是指在调查研究、查明事实，分清是非的基础上，教育和疏导当事人提高认识，统一思想，促使其思想转变，互相谅解，最终达成调解协议的活动，这是调解委员会进行调解活动的基本工作方法。调解人员应根据纠纷当事人的特点和纠纷的性质、难易程度、发展变化的情况，采取灵活多样的方式方法，向当事人宣传有关的法律、法规、政策，对他们进行法制教育和社会主义道德教育，同时开展耐心细致的说服疏导工作，帮助其统一认识，提高觉悟，端正态度，消除对立情绪。

（三）调解的期限

人民调解委员会调解纠纷，一般在1个月内调结。

五、调解的结束

（一）结束调解的方式

结束调解有两种方式：一种是虽经多方工作，但达不成调解协议，非正常地结束调解程序；一种是达成了调解协议，正常地圆满地结束调解程序。

正常结束调解的方式分为三种情况：①双方当事人达成口头协议，解决了纠纷，即由人民调解委员会予以登记，由调解人员签名即可。②达成调解协议，但并不制作调解协议书，只由双方当事人和主持调解的调解员签名、盖章即可，协议书留在调解委员会备查。③既达成调解协议，又制作了调解协议书，由双方当事人和主持调解的人员在协议上签名、盖章，以人民调解委员会名义，发给双方当事人各一份，再由人民调解委员会归档一份。这是最正规的人民调解。

（二）调解协议的达成

经过耐心细致的说服劝导工作，当事人在原则问题上已有了正确的认识，具备了达成调解协议的思想基础后，调解人员应抓住时机，促使当事人之间和解，达成协议。在进行这项工作时，调解人员应把各方当事人叫到一起，在调解人员主持下，由当事人双方自行协商，达成解决纠纷的协议。为使这项工作达到预期的目的，在调解过程中，调解人员应发挥主导作用，及时提出主导意见，使当事人的协商紧紧围绕争执的焦点，向达成协议努力。调解实践证明，调解人员在调解过程中起主导作用，不仅对促成双方当事人和解具有重要意义，而且还可以及时发现问题，解决问题，保证调解活动的顺利进行。

调解协议的内容主要有：自我检讨、赔礼道歉、保证改过、返还原物、恢复原状、提供劳务和赔偿损失等。调解人员可以根据纠纷的性质和当事人的过错程度，提出处理纠纷的意见。

经人民调解委员会调解解决的纠纷，有民事权利义务内容的，或者当事人要求制作书面调解协议的，应当制作书面的调解协议。

对简单纠纷，如邻里口角、家庭成员之间的纠纷等，当事人达成口头协议即可。对于较复杂的纠纷，特别是包含需要承担一定法律责任、履行一定法律义务的纠纷，如损害赔偿、赡（抚）养、继承、宅基地等纠纷，应当书写书面协议。在当事人要求发给各方当事人收执外，调解委员会应存档一份备查。无论口头协议，还是书面协议，调解委员会处理的纠纷都要进行登记，以便统计上报。

当事人在调解人员主持下，为解决纠纷进行协商时，调解人员应当把协商过程的主要情况和协议内容制成调解笔录。调解笔录的内容包括：当事人的姓名、性别、年龄、职业、住址；调解的时间、地点；调解主持人姓名、职务、在场人的姓名、职务；协商过程中当事人发表的意见。这里重点是指当事人对自己民事实体权利的处分意见。调解人员提出的调解意见，在场上发表的意见，以及当事人对这些意见的态度也应包括在内；达成协议的内容或达不成协议的原因。

最后，由当事人、调解主持人、在场人签名盖章。

案例分析：

【案情简介】

村民王和化家丢失铁耙一把，怀疑是王端阳所偷。1999年6月24日下午，王和化到王端阳家质问王端阳，王端阳不承认偷铁耙并与王和化发生争吵。次日凌晨，王和化之子经父亲同意，将尚睡在床上的王端阳喊到家中，吩咐父亲看管好他，自己去叫支书王某来处理。王支书带了纸、笔并顺便喊村长一同到王和化家，处理这起民间纠纷。在王和化家的堂屋里，支书和王和化摆开架势对王端阳进行问话，调查事实真相，村长则帮助维持秩序。听说村支书审案，村民纷纷前来围观，王和化家一时人头攒动、喧闹不堪。王支书见状只得将王端阳转到王和化家的灶间里继续问话。王端阳始终不承认偷了铁耙，王和化气愤难当，扬起手中竹篾片要打王端阳，被在旁观看的一村民挡住。问话持续了很长时间，王端阳终于承认偷了铁耙。支书将问话形成一份笔录，王端阳在笔录上签了字。为了处理赔偿问题，王和化喊来王端阳的母亲，一同商谈赔偿事宜。来到现场的王母听说儿子偷人铁耙，气不打一处来，便在王和化家的客厅里气愤地说："你做这样的事，把你沉塘也好，还是赔钱也好，我都不管。"支书见她如此态度，知道要王端阳赔钱是没有结果的，于是提出一种处罚性解决方案：要王端阳将村学校后面的阴沟清理干净，抵赔偿处罚。王端阳提出要考虑一二十分钟再做决定。"审问"的、观看的人群纷纷退出王和化家的灶间，王端阳将门关上，独自一人在屋中。过了大约十分钟，见屋子里没有动静，村民熊某推门查看，见王端阳呆呆地坐在地上，见情况异常，村长等人也进入屋中查看，发现王端阳身边有一空农药瓶，并口吐白沫。村民赶紧将王端阳送医院抢救，11时王端阳因抢救无效死亡。[1]

【问题】

1. 本案中的哪些做法违反了人民调解的有关规定，没有充分保护当事人的权利？

2. 本案暴露出农村的人民调解实践还存在着哪些问题？

---

〔1〕 根据李保、李文斌："调解席上倒下17岁少年"，载《法律与生活》2005年第2期。

我们需要从固有的法律传统中，引出滋润了五千年中国的源头活水，需要科学地总结和吸收有价值的因素。

——张晋藩

第五章　人民调解工作的方式技巧

人民调解工作技巧主要有人民调解工作的方式技巧、方法技巧和语言技巧。

人民调解工作的方式，或称人民调解工作的形式，是指调解人员在调解纠纷的过程中所采用的具体方式。调解方式技巧是调解人员根据纠纷的具体情况，运用不同的调解方式，灵活调解纠纷的技能。

目前常用的调解方式有：直接调解和间接调解、公开调解和不公开调解、共同调解和联合调解等。由于民间纠纷的复杂性和调解活动的多样性，在调解时，可根据不同的情况，选择不同的调解方式。针对不同种类或同一种类不同情况的纠纷情况，而采用恰当的调解方式是及时、有效地化解纠纷的基础。不同种类的纠纷适用于不同的调解方式，究竟什么种类的纠纷，什么情况的纠纷选择什么样的调解方式，取决于调解人员的调解意识、工作经验以及对纠纷情况和当事人的认识。一般地说，个别调解适用于纠纷发生地、纠纷当事人同在一地区或单位的纠纷调解，联合调解适用于跨地区、跨单位，涉及数人、数方关系人，影响大、涉及面广的大型纠纷调解。有教育意义的纠纷可以公开调解，涉及当事人隐私的纠纷宜非公开调解。各种调解方式可以单独使用，也可视纠纷的具体情况交叉使用，或在调解的某一阶段针对纠纷的发展变化、纠纷当事人的心理特点灵活采用。对具体纠纷中的具体人，调解方式要灵活多样，要根据纠纷的性质和当事人的性格，采取不同的劝解方式。例如，同样是赡养纠纷，有的用个别谈话的方式即可解决问题，有的采取个别谈话的方式，则不能解决问题。

第一节　直接调解与间接调解

一、直接调解

直接调解，是指调解人员将纠纷当事人召集在一起，主持调解他们之间的纠纷。在实行直接调解之前，调解人员一般都事先分别对当事人进行谈话，掌握处理纠纷的底数。这种形式普遍适用于情节比较简单的纠纷，矛盾冲突只限于当事人之间的纠纷，以及涉及当事人隐私或其他不宜公开的纠纷。

直接调解可以是单独调解，也可以是共同调解。

二、间接调解

间接调解，是指调解人员借助纠纷当事人以外的第三者的力量进行调解。这包括两层含义：①针对某些积怨深、难度大的纠纷，借助当事人的亲属、朋友的力量，共同做好当事人的思想转化工作；②针对某些纠纷当事人依靠第三人为其出主意的心理或其意志受第三人控制、操纵的特点，在先着重解决好与当事人有关的第三人的思想认识的基础上，利用当事人对其较为信任的心理，把对纠纷的正确认识通过第三人作用于当事人，促其转变。比如有些婚姻纠纷，表面上看是夫妻之间闹矛盾，其实夫妻之间的矛盾是由婆媳、姑嫂等矛盾转化而来的，因此应先从做婆婆或者小姑的工作入手，解决好他们的思想认识问题，然后再通过他们做夫妻双方的工作。

第二节　公开调解与不公开调解

一、公开调解

公开调解，是指人民调解委员会在调解纠纷时，向当地群众公布调解时间、调解场所，邀请当事人的亲朋好友参加，允许群众旁听的调解方式。公开调解是为了更好地实现程序的民主和公正，促成当事人达成和解，提高调解的成功率，同时通过调解活动，可以对广大群众进行法制教育，提高他们的法治意识。这种调解形式主要适用于那些涉及广、影响大，当事人一方或双方有严重过错，并对群众有教育示范作用的纠纷。但是，对于涉及当事人隐私、商业秘密的纠纷，或者当事人表示反对公开进行调解的纠纷，则不宜公开进行。公开调解还要注意方法，不能将公开调解搞成"斗争会""批判会"，应以说服教育为主，促成当事人之间和解。

二、非公开调解

非公开调解，是指人民调解委员会在只有当事人在场而无其他人参加的情况下进行的调解，这种调解方式主要适用于涉及当事人隐私权的纠纷。所谓的非公开原则，包括程序上的不公开，调解协议的内容的不公开，以及双方当事人在协商基础上的对调解协议的保密义务。

三、公开调解与非公开调解的适用

公开调解与非公开调解本身并不存在孰优孰劣的问题，只是视调解的需要，因案而宜，适合就好。如能恰当地运用合适的方式进行调解，公开调解或者不公开调解均能达到人民调解的目的与效果。反之，则无论公开调解或者不公开调解均有可能损害当事人的合法权益。

我们认为，人民调解应以不公开调解为宜。①调解本身只是为纠纷当事人提供了一个沟通的平台，公开调解则迫使纠纷当事人在自己熟悉的环境中去面对自己的亲朋好友，承受过多的社会压力，使其很难以平和的心态去处分纠纷所涉及的切身的权利，从而影响沟通的深度，最终迫使纠纷当事人作出一些违心的选择。"而这种心态在一个法治的社会里很难真正建立起人们对法律的信仰，当事人只会'委曲求全'，以免受来自社会的压力。"[1] ②与建立在国家公权力之上的审判不同，调解本身更多地依赖于当事人的私权利，当事人在行使这种处分权时，基于"私权自治"可以请求第三人的回避。[2] 强调调解的不公开原则，可以避免离婚案件和涉及商业秘密的案件等案件公开审理带给当事人的心理压力和商业风险。③对于某些抱着碍于情面不肯让步的心态的纠纷当事人，若进行公开的调解，更不易达成调解协议，反之，进行不公开的调解，反而有利于提高调解的成功率。④也有些当事人认为"家丑不可外扬"，也有些纠纷内容不宜公开，

---

〔1〕 陈智慧："对'人民调解'制度的几点思考"，载《人大研究》2002 年第 11 期。
〔2〕 钱小平："调解制度的再思考"，载《山西高等学校社会科学学报》2001 年第 4 期。

则公开调解不利于当事人开诚布公地交换意见，采用非公开调解，能够使纠纷当事人将内心所想和盘托出，有助于调解人员找到纠纷的症结，对症下药调解纠纷。⑤调解中往往会出现一方的妥协和让步，一旦调解失败或一方不履行调解协议而进入诉讼，如果调解的有关信息为法官所知晓，当事人就会产生调解影响法官裁判的担心。出于这种担心，如果调解公开进行，在调解过程中当事人就会有所保留，不愿意把真实情况都讲出来，这就会对调解的成功产生不利影响。[1]

案例 5 - 1

李菊真与刘和平系夫妻。起初两人的婚姻生活还算平静，但婚后丈夫刘时常很晚回家，每每李问及此事，刘总说自己在朋友家搓麻将，回家晚了。此事渐渐引起了李的怀疑。某日，李跟踪丈夫直到深夜两点，才了解到事情的真相，遂要求与丈夫离异，刘不同意。数日后，李到人民调解委员会要求调解离婚，调解员老王接待了她。老王听了她的请求后，询问其想离婚的缘由，李犹豫再三，终于说出了那晚所见。原来，那晚八点半左右，李跟踪出门的丈夫，发现他先到朋友家搓了两个钟头的麻将，离开朋友家后拐进了一个偏僻的小巷子，他一见到单身女性就暴露外生殖器，使路过的女性都受到了不同程度的惊吓。刘直到凌晨二点才回家。李既无法接受丈夫对其他女性有"流氓行为"的事实，又觉得对丈夫说出欲离婚的理由难以启齿，遂到人民调解委员会找自己比较熟悉的调解员老王寻求帮助。老王首先温言安抚了李的情绪，向李解释刘的行为并非有意识的流氓行为，而是一种性变态心理，心理学上称为"暴露癖"，是一种需要治疗的心理疾病，并劝说李不要轻言离异，先配合丈夫作一段时间的治疗，若治疗无效再找人民调解委员会调解离婚，另一方面考虑到李觉得劝说刘去作治疗也难以启齿，便承诺由自己去做刘的思想工作。送走了李以后，老王找其丈夫刘和平谈心，转告了李想要离婚的意思以及离婚的理由。为了使刘放下思想包袱接受治疗，老王向其解释了刘所患的疾病的性质及严重后果，劝说他及时去接受治疗。刘答应老王先治治看，并表示如果治不好，他可以接受调解离婚的方案。后刘经过一段时间的治疗后，效果不理想，两人便一起到人民调解委员会找到老王，由老王调解，达成离婚协议，赴有关部门顺利办理了离婚。

由于本案涉及当事人隐私，调解员老王采纳了不公开调解的方式，保全了当

---

[1] 于慎鸿："人民调解的困境与发展途径探析"，载《商丘师范学院学报》2005 年第 6 期。

事人的颜面，维护了其隐私权。同时，因案中当事人夫妻双方直接进行交流存在一定的心理障碍，老王对他们进行了背靠背的调解，也达到了调解的目的。

第三节　面对面的调解与背靠背的调解

一、面对面的调解

面对面的调解是指调解人员在调解民间纠纷时，将双方当事人召集在一起进行面对面调解，促成其达成调解协议的方式。面对面的调解有利于维护调解人员的中立地位，保障人民调解的程序公正。在纠纷双方当事人有可能进行理智协商的情形下，宜采用面对面的调解。而在当事人情绪对立较严重，甚至矛盾随时可能激化的情形下不宜进行面对面的调解。

二、背靠背的调解

调解委员会在调解民间纠纷时，采用的调解人员分别对当事人进行个别谈话的方式，俗称背靠背的调解，或称为个别调解，这是人民调解的基本方式之一。个别调解具有简便易行，节约时间和人力的特点。一般比较简单的纠纷，涉及当事人隐私或其他不宜公开的纠纷多采取这种调解方法。

在进行背靠背的调解时，调解人员可以先同当事人谈一些涉及纠纷而当事人又感兴趣的话题。通过交谈使当事人激烈斗争的矛盾心理冷静下来，为谈话创造思想条件。在调解人员和当事人之间进行心理接触时，谈话的题目，通常不涉及纠纷的焦点。谈话的中心议题应集中在弄清纠纷的基本情况上，启发当事人实事求是地回忆纠纷发生的原因、经过和结果。接着调解人员可把这次谈话得到的情况，同原来已掌握的情况加以比较，去掉虚假和相互矛盾的材料，并根据事实和法律向当事人讲明他的过错，晓以利害，提出解决纠纷的主导意见，同当事人协商。每一次谈话，调解人员都要有重点地记录谈话内容。最后，将谈话笔录念给当事人听或送当事人阅读，证明笔录无误以后，请当事人签名盖章。

三、面对面的调解与背靠背的调解的适用

对于一个具体的民间纠纷，调解人员是采用面对面的调解还是背靠背的调解，对于调解是否能最终成功具有至关重要的作用。对于因民间纠纷结怨甚深或

是本身性情偏激的当事人，面对面调解容易使其再度争吵，使调解无法进行，而背靠背的调解更能达到效果。当然，调解人员分别听取不同的当事人的意见时，当事人相互之间的沟通全赖调解人员传递和拿捏，他们之间的"对话"则会更加零碎和不充分，而在这样的依赖于调解人员积极中介的调解过程中使当事人达成合意，在调解的技巧方面势必比很多面对面的调解要求更高。

案例 5 - 2[1]

位于深圳盐田区的原花木场山的一块山地，两处居民均主张这块山地归其所有，早在1974年，盐田四村大队（现为永安社区居委会）在划分该山地时，新围生产队（现为居民小组）和伯公树生产队（现为居民小组）对它的权属发生争议，此后一直未有定论。1994年盐田港征用该地时，给予该地块征地补偿款327250元，但由于山地权属不明，补偿款无法分配，双方纠纷再度白热化。盐田区政府指示有关部门协助调停此事，2002年，区政府有关部门和盐田街道办事处先后三次召集争议双方代表进行调停，但每次都因双方互不让步而以失败告终。由于该地块争议时间较长，没有原始证据材料，这笔补偿款一直存放未发。

2004年3月，盐田区司法局成立联合调查小组对案情进行分析，认为该争议地块已于1994年被征用，再对山界重新进行划分已无实际意义，只能就事论事，就征地补偿款的分配进行调处。调处中，调解人员一改过去的面对面调解方式，采用背靠背的调解方式，分头作双方当事人的工作。另外，工作人员请资深法官参与调处活动，当场释疑，讲明谁主张谁举证的法律依据，并切实建议双方补偿款应共同共有，按征地时的人口数进行平均分配。

2004年5月15日，在盐田街道人民调解员的主持下，盐田街道永安社区的新围居民小组和伯公树居民小组代表接受调解意见，在一份人民调解协议书上签了字。至此，一场纠缠了三十年的纷争得到了圆满解决。

民间纠纷必然涉及有关当事人的利益。调解中合意的形成，往往是以当事人对调解方案是否己有利的价值判断。本案中由于数次面对面的调解无效，主要是由于双方当事人对该纠纷所涉及的利益互不相让，面对面的调解只能使双方的情绪对立更为严重。调解员因此采用背靠背的调解形式，分别对双方当事人进行

〔1〕 材料来源：王彪、马燕君："两村争山地一扯30年双方经司法调解圆满解决纷争"，载《晶报》2004年5月21日。

说法教育，规劝疏导，晓以利害，提供了一个对双方而言互惠互利的调解方案，点明事情久拖不决，只会形成"双输"的局面，从而有效避免了矛盾的激化，促使当事人化干戈为玉帛。

有时在调解过程中，针对纠纷的发展和当事人情绪的变化等具体情况，在不同的阶段分别实施面对面的调解和背靠背的调解，比如，在当事人情绪较激动，见面就吵时，可先实行背靠背的调解，分别做双方当事人的工作，待双方平静下来，意见比较接近时，再实施面对面的调解，促使当事人互谅互让，心平气和地进行协商，使纠纷得到圆满解决。

第四节　单独调解和共同调解

一、单独调解

单独调解是指纠纷当事人所在地或纠纷发生地的人民调解委员会单独进行的调解。这是人民调解委员会最常用的调解方式之一。单独调解适用于人民调解委员会独任管辖的，不涉及其他地区、单位的关系人。调解人员对纠纷双方的当事人情况都比较熟悉，便于深入调查研究，摸清纠纷发生、发展的情况，分清是非与责任，并针对纠纷当事人的心理特点，开展调解工作；便于督促调解协议的履行和进行回访；便于解决当事人合理的实际困难。因此，调解的成功率很高。但单独调解也要注意因人熟、地熟、情况熟而照顾情面或碍于一方在本地的势力所造成的不公正调解等弊端。

二、共同调解

共同调解是指两个或两个以上的人民调解组织，对于跨地区、跨单位的民间纠纷，协调配合，一起进行的调解。[1] 共同调解与一个调解组织进行的单独调解相比，只是调解组织的数量不同，二者在调解方法、步骤上基本一样。但共同调解实施起来比较复杂，在实施过程中要注意以下几个问题：①由于共同调解是数个调解组织共同调解一起纠纷，因此，在受理纠纷后，必须分清主次，由一个

---

[1] 陈智慧："对'人民调解'制度的几点思考"，载《人大研究》2002 年第 11 期。

调解组织为主,其他调解组织协助。一般地,先行受理民间纠纷的人民调解委员会为主,其他各方为协助调解方。当有两个或两个以上人民调解委员会同时受理时,应本着有利于纠纷调解的原则确定由其中哪个调解委员会管辖,并以有管辖权的调解委员会为主调解,其他有关各方协助调解。②由于联合调解的组织是数个调解委员会临时组成联合调解小组,所以在调解前,要详细研究调解计划,才能保证调解工作有步骤、有秩序地进行。③在共同调解的过程中处理问题,要以事实为根据,以法律为准绳,对当事人一视同仁,防止小团体主义,宗派主义对调解工作的干扰。④调解达成协议后,由为主的调解组织保管档案材料,各调解组织要以高度负责的精神督促本管辖区内当事人按调解协议履行。

第五节 联合调解

一、联合调解的概念

联合调解是指人民调解委员会会同其他地区或部门的调解组织、群众团体、政府有关部门以及司法机关,相互配合,协同作战,共同综合处理民间纠纷的一种方式。与共同调解相比,联合调解规模更大,必要时可在当地党委、政府的统一领导下,发动政府职能部门及司法机关共同对民间纠纷进行疏导调解。由于人民调解的民间性、人民调解委员会的群众性,使得人民调解不具有公权力,人民调解委员会是群众性的自治组织,不行使政府行政职能,也不行使司法职能,必然就缺少权威性。而联合调解是基层人民政府主持有关职能部门参加的调解,它既能较好地解决当事人的思想问题,又能解决纠纷中涉及的实际问题,消除产生纠纷的根源;能够充分发挥各职能部门作用,避免各部门之间的互相推诿、扯皮现象;联合调解达成的协议,有一定的权威性和约束力;加强了对人民调解委员会的指导,使大量民间纠纷解决在基层,防止了矛盾激化或转化。

二、联合调解的适用

联合调解主要适用于调解跨地区、跨单位、跨行业的纠纷,久调不决或者有可能激化的纠纷,调解组织无力解决当事人合理的具体要求的纠纷,以及某个调解组织无力单独解决的纠纷,更适用于由土地、山林、坟地、宗教信仰等引起的大型纠纷和群众性械斗,适宜于专项治理多发性、易激化纠纷以及其他涉及面广、危害性大、后果严重的民间纠纷。

三、联合调解应注意的问题

联合调解应遵循各参与部门的工作程序，如调解程序、处理程序、司法程序等。联合调解除应注意共同调解的过程中应注意的问题之外，还应注意以下几点：

1. 加强组织领导。联合调解工作对象是大型的、复杂的民间纠纷，需要参与的各部门之间密切合作。因此必须做好组织、发动工作，特别是面对带有家族性、宗教性的大型纠纷和群众性械斗，专项治理多发性、易激化纠纷，更应加强组织领导，必要时可由基层人民政府出面，制定工作计划，一一部署。

2. 加强调解处理民间纠纷中的信息传递与反馈。大型纠纷往往涉及几个地区或者跨出县界、省界，参与调解处理的部门较多，并且分散。因此，必须加强调解处理民间纠纷信息传递与反馈，使主管领导了解纠纷发生、发展动态，了解调解处理效果，了解群众对联合调解的反映；同时也可使各部门更好地贯彻领导意图，按照民间纠纷调解部署开展工作。

3. 要严格政法界限。联合调解往往会与行政处理、法院审判相联系，因此，应严格按照各部门的分工，防止以罚代调，以调代法，严禁越权处理。

案例 5-3

2004 年 7 月，三山村村民沈某向村委会申请新建住房，经村委会研究决定，批准其在郑某房后的村民建设用地上建设新房，同时报请上级管理机关批准。2004 年 7 月底，得到上级机关的批准后，沈某就在批准的宅基地内备料，做建房的准备。但是由于这块宅基地在郑某的房后，多年来一直闲置，后来郑某开荒，种上了树苗，沈某建房必定影响郑某的利益。因此，郑某就阻碍沈某施工，造成停工三个月。在此期间，沈某多次找到村调委会，村调委会多次调解无效，沈某不能及时建房，受到严重损失。11 月 2 日，沈某组织工人施工又被郑某阻止，双方情绪都很激动，械斗一触即发。

司法所在得知情况后，立即赶到，及时控制了局势，避免了冲突的升级。在稳定了双方情绪后，司法所工作人员就对此事开展调查，并承诺 5 日内会同有关部门到现场解决。当日，司法所就将此情况向本镇村镇办进行了通报，并同村镇办共同研究调解方法，确定工作重点。经共同研究决定，先对实地情况进行调查，掌握准确材料，然后依据法律逐个进行谈话，最后让双方坐到一起商量。2004年11月7日，司法所会同村镇办一同来到三山村沈某的施工现场，首先要求沈某出示建设新房所需的各种审批材料，经核实沈某建房手续合法，后又根据审批文件对沈某的施工现场进行了测量，规范了沈某的施工范围。在完成调查工作后，司法所及村镇办工作人员就找到郑某。郑某态度生硬，始终认为他家房后是他的开荒地，并且经营多年，现在地里的树刚刚见到效益，不能动，谁动和谁拼命。对于郑某的态度，司法所工作人员早有准备，不急不火，耐心细致地对他讲解法律政策："我国《土地法》第11条规定，土地的所有权和使用权受法律保护，任何单位和个人不得侵犯，你在集体的土地上进行开荒种树，本身就是侵犯集体土地的使用权，但是集体认为土地闲置也是闲置，就没有阻拦你种树。现在集体的这块土地另有他用，所以你就应无偿服从，任何形式的占地行为都是违法的。如果你现在不让出来，将来我们诉诸法律程序你也得让出来，到时候你的损失要比现在还大。再有，你已经非法占用集体土地好几年，如果集体向你收取使用费也是应该的，但是现在集体没有这样做，你也应该清楚。"经过司法所及村镇办工作人员的工作，郑某终于同意就沈某建房一事与其进行协商，并最终达成双方都能接受的协议：沈某建设新房及宅院面积南北长12.45米、东西长13.39米，南院墙距前院郑某后山墙1.5米，沈某建房东侧开荒地内种植的栗树、玉米等农作物归沈某所有，郑某房后沈某建房施工范围内的柿子树、香椿树、花椒树等树木经郑某申请林业部门批准，自行砍伐处理，给沈某让出建房用地。至此，一场随时可能转化为刑事案件的宅基地纠纷得到了圆满解决。

本案便是司法所会同村镇办联合调解取得成功的典型案例。了解本地情况和熟悉相关法律是村镇办工作人员的优势，从研究调解方法，查找相关法律资料，制定调解方案再到实地调查和个别谈话，村镇办的工作人员都参与其中，由于他们的在场，也导致郑某不敢过于嚣张，最终调解人员运用防止冲突升级的方法成功调处了这起宅基地纠纷。

四、对联合调解性质的争议

然而，由于联合调解涉及到政府部门、司法机关，带有"准司法"性质，将其作为"人民调解"其实是极为不当的：①人民调解员无权要求法官、检察官来参与调解。人民调解委员会在调解民间纠纷的时候，如遇到法律或政策方面的问题，可以向基层政府部门和人民法院咨询，基层人民政府有关职能部门应当给予业务指导，但不能参与调解。②如果允许调解委员会邀请有关政府部门或司法机关的人员参与调解，其调解行为的性质将难以界定，有关政府部门人员的行为性质也将难以确认。如属于"公务行为"，其行为如果违法，公民是否可提起行政诉讼？如有人民法院的法官参与调解，其调解结果是否可以强制执行？如当事人对调解结果不满意，提起诉讼，该参与调解的法官是否应"回避"？等等问题，都将在实践中造成难以解决的困难。③"联合调解"是最具"司法"性质的行为，这将不利于当事人行使"诉权"，是对当事人权益的一种侵害行为。④人民调解是人们自愿的而非强迫选择的一种解决纠纷的方式，是民间的而非官方的，联合调解把"民间调解"变成了"官方调解"，这是不合法的。⑤我们强调司法是解决一切社会纠纷的最后的屏障，人民调解制度不能取代司法，不管是内容还是形式。[1] ⑥中国文化传统的特点之一是对权力的尊崇，民间有着悠久的敬畏国家权力的思维定势。联合调解由于政府部门与司法机关的介入，给民间纠纷的当事人尤其是"过错方"造成无形的压力，很有可能使当事人在敬畏公权力的心理基础上非自愿地达成调解协议。这既违背了自愿原则，又有损于社会主义法治的进程。

第六节　其他调解

一、座谈会调解

调解委员会在调解民间纠纷时，举行当事人和有关群众参加的座谈会，共同协商解决纠纷的方式称为座谈会调解。座谈会调解，根据参加座谈会的人员可分为家庭座谈会调解和小型群众座谈会调解两种。

家庭座谈会调解是调解委员会解决家庭纠纷的主要方式，采取家庭座谈会解决纠纷时，调解人员必须做好充分的准备工作，座谈时，要充分发扬民主，启发诱导当事人开展积极的批评与自我批评，同时，要劝导他们不要斤斤计较，要用法律、社会主义道德约束自己的行为。在座谈中，要抓主要矛盾，当在争执的主要问题上，各方各持己见，互不相让时，调解人员要适时提出调解意见，请当事人协商。

---

〔1〕 陈智慧："对'人民调解'制度的几点思考"，载《人大研究》2002年第11期。

小型群众座谈会调解，主要用于打骂斗殴纠纷中，当事人有明显过错，而又拒不承认的纠纷的调解。它的优点是：人多智广，说理透彻，能使当事人较好地认识自己的错误，并可使参加座谈会的群众受到法制教育，不足之处是组织工作复杂，可能产生消极影响。采取小型群众座谈会进行调解时，调解人员应制定统一的座谈计划。座谈发言时，要实事求是，以理服人。在整个座谈过程中，调解人员要及时观察当事人的举止，从而分析其心理活动。当当事人有悔改表现时，应及时提出调解意见，促使达成协议。

案例 5 - 4

张某和邻乡姑娘陈某结婚两年。刚开始两人相敬如宾，后来时常为一些家庭琐事拌嘴。吵得厉害了，陈某就收拾东西回娘家住一段。有一次夫妻俩大吵一架，陈某又回娘家了，过了一个星期还没回家。张某好歹把妻子劝回了家。快到家时，两人又吵上了，陈不愿意进门，转身又要回娘家，张某不让，拖着陈某要进去。推推搡搡中，陈扬手就给了张一巴掌。张觉得自己为劝她回家低声下气说了这么多好话，赔了这么多不是，结果却在邻居面前被老婆打了耳光，太窝囊，太丢面子了。越想越生气，和陈某提出了离婚。

陈某没想到事情会发展到这个地步。她表示不愿意离婚，但张某坚决要离。陈某便求助于调解员韩大妈。韩大妈知道他们小夫妻没有太大的感情上的不合，张某坚决要离婚，主要是因为陈某当着众多街坊邻居的面打了张某一耳光，让张某下不了台。韩大妈邀请夫妻俩的亲戚和邻居开了个小型调解会。在调解会上，陈某当着众人的面给张某道歉，张某便原谅了她，觉得自己也有不是，两人遂言归于好。

如本案这样发生在公共场合的婚姻家庭纠纷，矛盾不如发生在家里那么好做工作。因为注重面子的当事人认为家丑不可外扬，对不分地点和自己发生纠纷的另一方当事人产生极强的反感和敌对心理。调解员韩大妈深谙此理。因此她选择了一种恰当的调解纠纷方式：召开小型调解会，而不是进行单独调解。她借调解会的形式让觉得丢了面子的张某挽回了面子，从而积极配合调解工作。

二、就地调解

受生活环境和传统习俗的影响，发生在不同地方的相同民间纠纷，会呈现出不同的特征。比如，同样是因为建房时所建房屋高于邻居家的房屋而引起的纠纷，在发达的农村地区，邻居往往会因为采光权受影响而与建房者发生纠纷，大多表现为争吵；而在文化、经济落后，封建迷信思想严重的农村地区，邻居往往以自家的风水受影响而与建房者发生纠纷，发生打架斗殴的概率大大增加。纠纷发生的地点不同，纠纷态势的发展程度也会不同。例如，婚姻家庭纠纷发生在家庭之外比发生在家里的严重性就会增加，调解难度也随之增加。调解人员只有正确掌握纠纷发生的地点要素，针对纠纷发生当时的具体情况，因案制宜选择调解地点，才有利于正确选择适当的调解方法，灵活运用各种调解技巧，并取得行之有效的调解结果。

根据调解是否在纠纷发生地进行调解，我们将调解分为就地调解和异地调解。

调解人员对正在发生的民间纠纷，在纠纷发生地当地进行调解，称为就地调解。其主要的优势在于降低了调解成本，方便群众，有利于生产；便于听取群众意见，利用群众舆论促使当事人和好；便于通过调解，向群众进行国家法律和党的政策的宣传教育；有利于纠纷的及时解决，防止矛盾激化。由于就地调解具有以上优点，在调解实践中被调解人员广泛采用。

三、异地调解

调解委员会对疑难民间纠纷，在办公室或纠纷发生地以外适宜地点进行的调解，是异地调解。适用于打架斗殴和因相邻关系而引起的纠纷。

在调解过程中，调解人员对双方当事人无论在行动上和语言上都必须贯彻平等的原则，并应选择适当的调解地点。

由于调解时远离纠纷发生地，采取异地调解方法必须做好充分的准备工作。

思考题

1. 调解纠纷的方式有哪些？
2. 个别调解的步骤有哪些？每个步骤应注意什么问题？

一般说来，审判外的纠纷处理机关只要以合意的获得为发挥解决功能的必要条件，为了有效地使合意形成，无论如何总有必要付出努力以诱导当事者向合意点靠拢。

——棚濑孝雄

第六章　人民调解的方法技巧

调解委员会在调解纠纷时，主要靠说服、教育和感化的方法，促使当事人之间达成相互谅解的协议，解决他们的纷争。由于纠纷的性质、难易程度和当事人的个性、思想状况不同，决定了调解方法必须灵活多样。首先，不同类型的民间纠纷应以不同的调解方法来解决，纠纷的有效解决，在于调解的方式与方法能与该纠纷的特点相适应。其次，在调解实践中，往往同一起纠纷，前后采取不同的调解方法，就会出现不同的调解效果。正确的调解方法，可以使当事人口服心服，合情、合理地解决纠纷。反之，往往使调解工作出现反复、曲折，甚至把纠纷搞得复杂化，最后不可收拾。这充分说明了调解方法的重要性。

第一节　人民调解的具体方法

一、综合各种因素，进行合意诱导

合意的获得是解决纠纷的必要条件，调解的过程也就是当事人之间的意思逐渐接近，最终达成合意的过程。调解人员有必要发挥较强的积极能动作用来促使合意形成。具体的方法是，综合各方当事人的期许度、执着程度、权利所可能实现的客观条件等各种因素，对其进行合意诱导。对于以某种给付作为争议标的的纠纷，可由调解人员向双方当事人提示大致的幅度或基准，通过当事人之间的"讨价还价"使其意思靠拢，如是反复，直至双方达成合意，纠纷彻底解决。就双方当事人而言，其一方面预想通过司法救济或行政救济可能得到的结果，另一方面又计算为了解决纠纷自己愿意付出的代价或成本，并在权衡二者的基础上进行"讨价还价"。这是人民调解的过程中最常用的基本方法之一。我们甚至可以将该过程视为获得合意以解决纠纷的基本框架,"这种调解模式将大至国家之间冲突的解决、小至处理交通事故的协议等日常生活中司空见惯的交涉过程加以抽象化、理念化,使其上升到指导调解的原则高度"[1]。

此时调解人员的工作重点是调整双方当事人对情况认识的差距,为合意的形成创造条件。调解人员即使是以片段的形式不断对当事人的主张作出反应,不断地以自己的判断影响当事人,这种影响仍然对合意的形成起着很大的作用。

适用这种方法要注意:

1. 在综合衡量双方当事人对最终解决纠纷的期待程度、对自己主张的执着程度等因素的基础上进行合意诱导的方法,往往意味着从当事人真正的意图出发,帮助由于种种不必要的考虑而妨碍了合意达成的当事人排除干扰,逐渐达到纠纷的解决。在这个意义上,这样的方法可以说最自然,最有可能得到接近于自发性解决的结果。但在这种方法的实施过程中,调解人员也要使各个环节都符合法意人情,否则,便是无原则的合意诱导,导致由于个人性格或社会地位等因素而缺乏力量坚持自己主张的当事人一方,被迫作出更大的让步的危险。

2. 调解人员不应只充当当事人的传声筒的角色,对于各个当事人的主张是否有理,应根据法律和人情道德形成自己的判断并作出提示。

3. 在帮助当事人之间进行意思疏通的同时,对于当事人抱有侥幸心理的过分要求,调解人员应及时提醒,使调解回到正常轨道上来。如果一方当事人执着于不合理的要求,则完全听任其主张是不可能有达成合意的希望的。这时,调解人员若指出其要求过分之处,说服其按照客观合理的标准调整自己的主张,就可以使合意形成的可能性大大提高。具体的做法是,调解人员先找出某个合意点为暂定的标准,以否定离此太远的当事人的主张或尽量推动当事人向此合意点靠拢的方式来诱导合意的形成。

4. 在当事人双方都有意妥协,但出于种种考虑,自己不便先作让步时,作为第三人的调解人员在中间提示一个具体的合意点,双方以此为中心逐渐互相靠拢。

在当事人之间力量比较均衡的情况下,这种调解方法时常屡试不爽。换句话说,如果当事人是基于妥协的心理而彼此达成合意的,那么这种妥协仅仅是指其

---

[1] [日]棚濑孝雄:《纠纷的解决与审判制度》,中国政法大学出版社2004年版,第60页。棚濑孝雄将调解分为判断型调解、交涉型调解、教化型调解和治疗型调解四种,并认为这四种类型的调解是彼此相通,时刻流动着的。

经过思量计算之后自愿选择调解而不是退出调解另选审判或别的纠纷解决方式，自愿选择此种调解结果而不是彼种调解结果，这种妥协并非一方当事人屈服于对方当事人的胁迫、利用其强势地位或者专业知识上的优势进行欺诈的结果。出于种种现实的考虑，如果当事人觉得采用审判或别的方式获得的结果并不比采用人民调解的方式所能实现的权利强多少，而人民调解又有成本低廉的优势（包括伦理成本、时间成本及收费等），当事人甚至对自己究竟应该实现多少权利并无十足把握，在这样的情形下，当事人就会倾向于就诸种条件制约下所能达到的最有利的结果作高度的现实主义的选择。这是调解员提示大致的幅度或基准的方法得以奏效的心理基础。它既满足了当事人的意思自治，又不违背依法调解原则，因而可以促进和保证调解的公正性与效率性的有机统一。而在当事人之间力量悬殊的情形下，则要审慎适用这种方法。因为在这样的情形下，合意便流于不够纯粹，合意往往是在外部压力的影响下所达成的，合意本身不能使纠纷的解决正当化。

二、法治与德治相结合

我们强调法律在人民调解中的巨大作用，但并不因此低估道德在基层民间纠纷的解决中的作用和意义。实际上，采用人民调解方式而不是法庭诉讼方式或"私了"方式本身就说明了在这种纠纷解决的办法中，天然的就包含了法律和道德互相结合共同作用的巨大空间。[1] 人民调解工作的实践表明，对当事人的说服教育工作以及对调解协议的履行离不开对道德资源的有效利用。

法治与德治相结合的方法包括两方面的含义，①指人民调解员在调解民间纠纷时应当遵照合法性的原则，严格依法调解，对纠纷解决没有具体法律规定可循时，依照社会主义道德的要求处理。②人民调解员在调解民间纠纷的时候，应当坚持法制教育与社会主义道德教育相结合的原则。要善于适用法律条文、政策规定和传统美德的要求教育当事人，提高其思想认识，端正其道德观念。比如，很多民间纠纷的存在乃至出现反复甚至激化，根源在于人们头脑中信用观念的缺乏：既缺乏传统道德范畴的诚实信用意识，又缺乏现代法律意义上的契约意识。[2] 调解人员在调处纠纷的过程中，便不能忽略必要的诚信教育。

在适用法治与德治相结合的方法时，还应注意具体情况具体分析，区别对

---

〔1〕 罗国芬："社区人民调解制度及其基层实践——以转型期为例"，载《南华大学学报》2002年第1期。

〔2〕 梁爱清："汲取传统道德精华化解矛盾纠纷"，载《广西公安管理干部学院学报》2001年第3期。

待，原则性与灵活性相结合，以求合法合理合情地达成协议，而不能无原则地迁就任何一方。否则表面上虽然达成了调解协议，但是以牺牲一方利益为代价，这将会为矛盾的再次爆发埋下后患。

案例6-1

老陈下班回家，因平时回家的路上正在抢修，于是绕道从某公园穿行，正好撞见其妻与情人约会，老陈一怒之下扇了妻子几个耳光。妻子觉得受了委屈，趁老陈上班不在家时，带着房产证和存折等跑回了娘家。老陈发现后连夜追回房产证和存折，却发现存折中的钱已被取光。脾气暴躁的老陈准备了汽油、炸药等物品带在身上，扬言要杀死妻子全家。

老陈与妻子年龄差距较大，平素脾气暴躁，对妻子不够体贴关心，夫妻之间较少有共同语言，但此时恶性事件一触即发，当务之急是阻止矛盾即时激化，而无暇顾及其他更深层的枝节问题。老陈的过激举动主要是因其发现妻子有外遇而引起的，因此，调解员所采取的对策是，一边谴责其妻的不道德行为，好言抚慰老陈严重的精神创伤，在其放松警惕的同时，一把夺下他手中的汽油、炸药。一场恶性事件被及时制止。两人都提出要离婚，老陈在自己最关心的财产问题上不肯让步，调解陷入僵局。这时调解员抓住了女方的道德软肋，首先对她的悖德行为进行批评教育，接着也对她对婚姻质量不满表示同情和理解，并不失时机地劝说她，及时摆脱婚姻不幸比财产更重要，她还年轻，又有比较稳定的工作，离婚时财产上略吃点亏以后还是能赚回来的，通向幸福的际遇却是稍纵即逝的，而老陈年龄偏大，工作也不稳定，老年生活没有什么保障，他们相处了这么多年，她也不希望老陈以后生活无着吧？老陈的妻子最终表示愿意看在多年的夫妻情分上作适度的让步，满足老陈的财产要求。

三、因势利导，巧借东风

一般说来，社会具有一种尽量避免纠纷发生，而且纠纷一旦出现也要求尽快加以解决的本能。这种本能以各种各样的规范形式表现出来。所以，当一方或双方当事人过分地执着于自己的主张，使纠纷迟迟无法解决时，就容易因这些社会规范的存在而受到谴责和压力。这种压力不仅本来就渗透在当事人自身的纠纷解决行动之中，而且调解组织往往有意识地运用这些规范，利用它们作为合意诱导的工具。

概括起来说，这种方法主要是通过以下几种措施来实现的：

1．在劝说工作中取得当事人的亲友和社会力量的支持、帮助。一个调解员的能力和水平总是有限的，但只要善于动员多种力量协助调解，善于利用当事人社会关系中的积极力量来帮助说服当事人，共同解决当事人的思想问题，纠纷就会由难变易，迎刃而解了。而且纠纷的解决往往不是当事人自己能独立决断，一说了之的。做好调解工作，除了靠调解员本身的努力，还需要人民调解员调动影响纠纷当事人的外部因素，帮助当事人处理纠纷。比如在城市邻里纠纷的调解难度很高，但"城中村"和老社区的人际关系比较简单，低头不见抬头见，调解员可发动当事人的亲朋好友，基层组织和有威望的长辈，多管并举，多方劝说。

2．调解人员在办案过程中有时会面临着上述人员的纠缠和困扰，调解人员可因势利导，巧借东风，利用这些人对当事人的比较深厚的感情和深刻的影响力，反过来让他们去做当事人的思想工作，往往能化阻力为动力，达到预期的目的。

3．调解组织、工作人员可动用其直接或间接拥有的资源来帮助当事人解决实际困难，以诱导合意的形成。尽管调解组织的判断和结论在制度上没有直接执行力，但这些组织所具有的中立性、负责处理纠纷的人员本身所具有的地位和知识水平以及程序的公正性、查明事实的能力等因素，也能使人们对其判断心服口服，从而促使当事人接受判断，到达合意的权威性。这样的权威性就是进行合意诱导所需要的一种资源。当事人如果无视这种权威，就会引起存在于这种权威背后，来自于一般人的否定性反作用。不过，这只是一个方面。更多的时候，调解组织和调解人员是调动自己所能借助的社会力量来帮助当事人解决实际困难的。由调解组织或其工作人员积极与有关部门或组织联系，提出请求，以帮助当事人解决生产生活中的难题。

在具体运用这种方法时，应注意以下几个问题：

（1）应当要尊重当事人的意志，不能盲目地动员当事人身边所有的社会力量，以免泄露当事人的隐私，不必要地扩大纠纷的社会影响，引起当事人的反感，造成过犹不及的后果。

（2）应当排除不利于纠纷平息的外部力量。

（3）在充分利用当事人周围的人际关系资源时，也要坚持原则，绝不能违反人民调解的基本原则。

（4）必要时可动员相关部门到场，分别工作，相互配合。

四、有的放矢，对症下药

人民调解不同于法院判决，法院判决一般只能就事论事，只能针对案件本身依法形成解决纠纷的裁决，一般不考虑对纠纷不产生直接影响的隐藏在纠纷背后的深层原因。而调解则不然，调解考虑的因素很广泛，它不仅要从表面上解决纠纷，更注重解决当事人深层次的矛盾。有些在法院判决时不能考虑的因素，则可能正是调解取得成功的关键。[1]

有的放矢，对症下药有以下几方面的含义：

（一）抓住主要矛盾进行调解

民间纠纷都是在一定的条件下产生的，这些纠纷不仅广泛存在，而且矛盾的出现往往不是孤立的，其发生的原因错综复杂，有时许多矛盾由一个问题引起，有时一个矛盾由多个原因造成，各种矛盾之间有着千丝万缕的联系，解决一个矛盾往往以其他矛盾的解决为前提。这就要求调解员在调解纠纷时，要能够全面了解纠纷的情况，掌握纠纷发展变化的规律，找准矛盾焦点，集中精力解决主要矛盾，从而牢固把握调解工作的重点，有的放矢。

抓住主要矛盾进行调解，就是要依照每一纠纷的具体情况，分析在这个纠纷发展过程中起决定作用的矛盾，正确地决定调解工作的重心和解决问题的顺序。这就要求调解人员要善于调查研究，查清事实真相，找出纠纷的原因、争议的焦点和纠纷中的关键人物。

当然，调解人员抓住主要矛盾进行调解是建立在对纠纷的全面的深刻认识和准确把握之上的。抓住主要矛盾和解决主要矛盾，并不是忽视次要矛盾的解决。调解员在解决纠纷的实际工作中，不仅要善于抓住中心，抓住关键，而且要统筹兼顾，适当安排，注意处理好其他次要矛盾。如果调解人员抱着侥幸的心理，只在个别问题上下工夫，就会顾此失彼，按下葫芦起来瓢，使矛盾越来越激化，事态越来越复杂。

（二）解决实际困难，努力协调和满足当事人的合理要求

任何纠纷都触及当事人的利益。纠纷的产生，根本上是因为某种利益关系被破坏或利益格局失去平衡，调解的过程作为处理各种社会矛盾的过程，实质上就

---

〔1〕 于慎鸿："人民调解的困境与发展途径探析"，载《商丘师范学院学报》2005 年第 6 期。

是协调各方面利益要求的过程。调解人员的调解能力，就是有效整合社会各方面利益要求，协调各方面利益关系的能力。在调解民间纠纷时，调解员不仅要说服教育当事人消除思想上的隔阂，而且要切实帮助解决纠纷所涉及的当事人实际困难和问题，努力协调和满足当事人之间的利益要求，帮助当事人之间的权利义务关系重新达到平衡，才能达到彻底化解纠纷的目的。比如，很多包工头拖欠农民工工资问题是由于发包方的违约行为所引起的，如果能使发包方依合同履行给付工程款的义务，则问题往往能够迎刃而解。又如，很多家庭因夫妻有一方下岗或失业而不和睦，要从根本上解决这些家庭矛盾，必须帮助这些下岗失业人员提高谋生的技能，有些调解委员会便与居委会一道组织这些人员进行再就业培训，使其掌握一技之长，或是由居委会出面成立职业介绍服务中心，不断向有关单位介绍、推荐本辖区的条件比较过硬的下岗失业职工，或是想方设法为下岗失业职工提供经营场所，鼓励其自我创业，都收到了较好的效果。由此可见，纠纷发生后，调解员要做到重视当事人的意见和要求，重视纠纷所涉及实际问题的解决，竭尽所能为当事人排忧解难，切实解决实际问题。首先，调解员在解决当事人之间的纠纷时，应当注意从利益动因上去分析当事人的思想问题。其次，调解员要努力实现和维护当事人的切身利益，去关心和帮助解决当事人的实际问题，尽可能满足当事人对物质利益的合理要求。只有当事人的基本利益请求得到满足，这类矛盾才谈得上根本解决。

当然，解决了当事人的实际问题并不等于他们的思想问题就自然而然解决了，调解工作中的思想引导、教育说服仍是彻底解决矛盾所不可缺少的。

案例 6 - 2

2003 年夏天，某市发生了一起外来务工人员坠楼事件。这位外地农民工跟着包工头来为当地农民盖房，不慎从三楼坠下，不治身亡。包工头望风而逃，死者的老乡工友们找房主索赔，但遭到了拒绝，遂向人民调解委员会寻求帮助。

调解人员先与当地镇政府有关部门协商，建立起安全保障制度。以后每位农民工盖房，要由房东和包工头签订安全协议，并由双方各出一万元作为押金。一旦发生事故，先用这笔钱替民工看病。同时，调解员还拿出法律条款，逐条解释给工友们听，向其说明，按照当时的法律，房东确实没有赔偿的义务。了解了情况后，工友们推选出代表，拿到了房东善后的 5 万元赔款。

由于很多外来务工人员在城市中面临的恶劣的生存环境，加上其本身文化素质不高，自我控制的能力较差，以其为当事人的民间纠纷需要引起足够的重视，否则很容易酿成民间纠纷的激化。本案的调解人员显然对工友们的心理进行了准确的剖析——众民工为死去的老乡出头，一方面是出于平日积累的友情与亲情，怕回老家无法向其家人交代，另一方面也是出于兔死狐悲的心理。要彻底解决这起纠纷，应当为这些工友解决切身的实际问题，同时建立起一种制度保障。在准确分析当事人心理的基础上，才能有针对性地解决实际问题，最终既成功调解了这次纠纷，同时也从制度的层面上消除隐患，预防了同类纠纷再次发生。

（三）彻底治疗"心病"，消除感情对立

若纠纷是由于当事人之间的人际关系陷入病态而引起的，调解人员必须从造成纠纷的深层原因入手，通过调整当事人不正常的人际关系来寻求解决之道。在实际生活中，可以经常看到当事人之间由于小小的误解而发生纠纷，或者由于意思沟通不够而使本来可以协商解决的纠纷发展为深刻的感情对立。此时如果仅仅把当事人表面上的争议之点作为关注的焦点，只考虑如何平息这些浮于表面的争执，则一般不会真正达到解决纠纷的目的。当事人可能显得十分固执，连客观上看来对自己有利的方案也加以拒绝。如果只考虑纠纷中的权利义务关系，就算纠纷暂时解决了也会在其他场合以别的形式重新爆发出来。

具体的方法是，调解人员可先让当事人尽情倾泻积愫，以获得一种心理上的净化效果。在很多平时很难充分对话交流的情况下，当事人通过这种宣泄说出对对方的种种不满后有可能平静下来，想到自己也有不是之处，或意识到对方也有一定的道理，从而酿成一种互谅互让的气氛。

当然，使用这种方法对调解人员把握纠纷发展的节奏的能力要求很高，方式（比如是面对面的还是背靠背的）、时机或分寸拿捏不好的话会引起矛盾的激化。另外，从数量上来讲，现实的调解中究竟有多少纠纷的解决依赖于这种心理上的净化作用是很成问题的。纠纷当事人之间往往存在着一时的误解或感情对立的深刻矛盾，仅仅让他们彼此尽情宣泄自己的不满并不能消除这种矛盾。所以，适用彻底治疗"心病"的调解方法必须先对适合于这样进行解决的纠纷进行选择甄别，并要求调解者在相当程度上具有心理治疗专家的素养和技术知识。即使把对象甄别出来并加以限定，仍然不足以完全解决使用心理疗法来进行调解时可能遇到的困难。首先就资格而言，今天的心理治疗是一门高度的专业技术，仅仅经过简单的训练不可能充分掌握所需的技能。其次，就算真是花钱花时间训练调解人员或由心理治疗的专家来担任调解工作，当事人是否能付出一般心理治疗所需的时间来接受调解也是一个问题。相比较于其他的纠纷解决方式，调解的优势在于简易灵便，即使当事人面临重大心理危机也很难彻底地运用心理治疗的方法。总之，要想实行真正的心理疗法，作为其前提，不仅治疗者的专门技术和时间等成为问题，当事人是否有接受治疗的意愿也很不确定。心理治疗是否能够用来调整所有的人际关系本身也是个疑问，以消除人际关系病理的深层原因为目的的心理治疗，在许多确实涉及人际关系问题的纠纷解决上也是无能为力的。如果在这里要想达到恢复正常人际关系的目的，只有尽量说服双方各自反省或忍受；或者干脆放弃消除人际关系病理的目的，先解决当务之急，先就目前面临的问题达成一定妥协，再考虑采取其他措施。

下列纠纷不适用上述根治疗法：

1. 不牵涉多少感情色彩的纠纷不适合这种调解方法。在这样的纠纷中，当事人更关心具体的利益争执，调解的重点若不放在这些争点上只会使当事人对调解本身产生不耐烦的情绪。

2. 由于当事人的病态人格而引起的纠纷不适合这种调解方法。

3. 当事人不愿接受治疗的纠纷不适合这种调解方法。心理治疗的前提之一是被治疗者必须全面配合治疗，如果当事人不把面临的状况视为心理上的不适应并积极要求脱离这种状态，则无论怎样进行治疗也是全然没有效果的。在真正的心理治疗临床实践中，患者往往主动自发地找医生接受治疗，但是在调解中心理疗法并不被看作达成目的的一般手段。

五、换位思考

换位思考，指在解决纠纷时，要从不同的人、角度、高度、层次进行深入细致的分析和研究，做到考虑周全，问题解决的圆满彻底，不留后遗症。换位思考的方法在具体应用时，分两个方面：①调解员应当站在当事人双方的立场和角度，寻找全面解决纠纷的适当方法。有人说人民调解是一门攻心的艺术，要尽快消除当事人的戒备心理，使双方当事人化解纠纷，调解员应从当事人的角度出发设身处地为其着想，并从关心和维护其切身利益出发阐述道理，使当事人感到调解员帮助自己摆脱困境的诚心，才有可能接受调解员的劝告。②当事人之间的换位思考。这是指双方当事人经过调解员的诱导，应站在对方或第三人的立场上，以诚信的态度进行换位思考，学会从他人的角度出发，以真诚换取真诚，以信任换取信任，以给当事人营造相互融通的心理氛围，便于纠纷的调解。

案例 6-3

2005 年 2 月 5 日，家住枣园的马大妈在邻居的陪同下到调解委员会哭诉儿媳妇韩某对她打骂的经过。原来，2004 年 12 月 26 日，儿媳妇韩某生完小孩，出了满月，回娘家住。事发前一日，儿媳妇让其丈夫回家拿换洗的衣服，丈夫没有拿，韩某认为是婆婆马大妈的主意，便气哼哼地回到家。一进门，马大妈正好做熟饭，让韩某吃，韩某非但不吃饭，反而破口就骂，扬言要拿杯子砸死马大妈，马大妈一搭茬，韩某上去就把马大妈推了一屁墩，并且动手扇了马大妈一记耳光。马大妈气得心脏疼了半宿，一夜未眠，起来就找到调委会。

调委会的张主任了解事情经过后，一方面劝慰马大妈保重身体，一方面批评韩某恶劣错误的做法并联系韩某，当即拨通了韩某娘家的电话。韩某承认打骂老人的事实，但不承认自己的错误，为平息矛盾解决纠纷，张主任找到了住在附近的韩某的舅舅和姨妈帮助调解，在他们的帮助下，韩某下午回到家。张主任和另一位调解员马上登门，韩某不服气，把一些陈芝麻烂谷子的往事都说了出来，觉得自己理不亏。张主任和调解员耐心做她的工作，告诉她有事说事，打骂老人是不对的。并告诉她根据《老年人权益保障法》第 11 条的规定，赡养人应当履行老年人经济上供养、生活上照料和精神上慰藉的义务，照顾老年人的特殊需要。韩某不仅没照顾好老人还动手打老人，且自己受了 3 年的部队教育，又是一名党员，做出这种违法的事就更不应该，韩某的为人处事都有问题。韩某听后，不再言语，张主任决定再让韩某考虑两天，择日再找她谈。过了两日，张主任和调解员王某又一次找到韩某做耐心细致的工作。张主任让韩某站在女人的角度考虑问题，站在家庭全局的高度考虑问题，张主任语重心长地说："看得出来，你很在意孩子。你现在和你婆婆的关系弄僵了，最难受的肯定是孩子的父亲也就是你的丈夫，一边是母亲，一边是妻子，他会如何选择？如果你爱人选择了和母亲在一起，与你离婚，那会意味着什么？试想孩子将会怎样？咱们都是女人，肯定不希望发生这种结局。"一番话说得韩某潸然泪下。张主任也对马大妈进行了劝导，让马大妈作出一定的让步，今后的生活中不要专挑儿媳妇的刺。最后，韩某向马大妈赔礼道歉，并写出书面保证，马大妈也表示既往不咎，和睦相处。

本案中的调解员就是运用了换位思考的方法打破了僵局，顺利解决了婆媳纠纷。让儿媳妇韩某站在丈夫的角度考虑问题，体会婆婆几十年的艰辛，体会丈夫夹在婆媳之间的特殊角色，要她考虑矛盾如果不解决，今后的家庭生活、家庭关系怎样维系。发生纠纷时，当事人往往头脑发热，过分强调自己的立场和观点，认为自己有理，对方理亏，让步的总应该是别人。如果不及时改变这种情形，矛盾可能继续加深甚至激化。针对这种情况，调解员引导当事人考虑纠纷解决办法，因势利导，实现换位思考，使当事人自己改变观念，作出相应的让步，使纠纷的解决获得转机。

六、苗头预测

苗头预测的方法就是要求调解员不仅要对当事人要求解决的纠纷给予事后的处理，还要以预防矛盾扩大和深化的意识，对没有发生的纠纷也进行针对纠纷当事人的思想和行为的不断变化的特点，抓住带有苗头性、倾向性的问题，及时分析变化的现状、原因，提出解决纠纷的对策，把纠纷解决在萌芽状态，防止矛盾激化和新纠纷的发生。主动运用苗头预测的调解方法是人民调解"调防结合，以防为主"的工作方针的具体要求。

风起于清萍之末。民间纠纷的发生和激化是有端倪可寻，有先兆可察的，任何一起民间纠纷都会通过一定形式反映出来。环境的变化也可能引发当事人之间发生矛盾，捕捉纠纷的苗头，可以赢得主动权和调解所需的时间。

成功运用苗头预测的方法要求调解员：①应当在思想上认识到纠纷具有突发性，采取切实可行的果断措施，加强对突发纠纷的预防。②必须具备敏感的信息意识，主动去发现各种信息，进行认真分析和深入研究，捕捉其中的倾向性、苗头性信息。③对通过分析得出的纠纷苗头一定要重视，积极行动，负责任地妥善处理。对不利于纠纷解决的苗头，要及时抑制和消除于萌芽状态，防患于未然。反之，发现好的有利于纠纷解决的苗头，就要积极引导当事人，使他坚持自己的思想和行为，并帮助他排除不利的外部干扰。

案例6-4

大刘和李子是海棠镇某村村民，住前后院，两家因琐事关系一向不和睦。在大刘家北房后本来有一条宽30厘米的排水沟，但李子家垫高自家院子后，排水沟被堵住了，由于近日连降大雨，大刘家北房因排水不畅被泡在积水中，危险随时可能发生。2004年7月，村调解委员会在矛盾排查中发现了这一问题，立即报告了镇司法所。司法所非常重视，所长立即带领全所工作人员冒大雨赶赴现场，了解情况，对矛盾进行调解。通过司法所同志耐心细致的工作，李子同意给大刘的排水工作提供方便，但大刘认为自己家北房后本有排水沟，是因为李子垫院子的原因才使排水不畅，此项工作及其费用应由李子承担，双方因此再次发生分歧。司法所和村调委会认为，李子垫高院子致使大刘排水沟排水不畅，过错在李子，应当由李子负责。根据最高人民法院《关于贯彻执行〈民法通则〉若干问题的意见（试行)》第98条，一方擅自堵截或独占自然流水，影响他方正常生产、生活的，他方有权请求排除妨碍；造成他方损失的，应负责赔偿。《民法通则》第83条规定，不动产的相邻各方，应当按照有利生产、方便生活、团结互助、公平合理的精神，正确处理截水、排水、通行、通风、采光等方面的相邻关系。给相邻方造成妨碍或损失的，应当停止侵害，排除妨碍，赔偿损失。司法所和村调委会再次耐心细致地为双方当事人做思想工作，最终双方就此事达成一致，制作了调解协议书。李子在大刘北房后重修排水沟，由此引发的一切费用由李子负担。

本案中，司法所的工作人员运用了苗头预测的方法。村调委会具备敏感的信息意识，注意到近日连降大雨，大刘、李子两家因琐事关系向来不睦，大刘因李子家垫高院子堵住了他家的排水沟致使他家北房排水不畅泡在积水中。而后积极用法律和事实说话，做好了防调结合，抓住了纠纷发生和深化的苗头，消除纠纷，把纠纷遏制在萌芽中，防止矛盾的扩大和深入。司法所的工作人员工作做得有主动性，有警觉性，针对可能出现的问题，抓紧工作，积极疏导，妥善解决，这样才能切实预防矛盾激化和新纠纷的发生。

七、模糊处理

模糊处理法，也就是通常所说的"宜粗不宜细"，即对矛盾双方进行劝解，特别是对人们之间的一些非原则性问题，常可采用这种方法。但调解人员运用模糊处理的办法并不是无原则的调和、各打五十大板，而是建立在以法律和政策为依据，分清是非责任，保护受侵害一方当事人的合法权益，让有过错的一方承担相应的义务的基础上。尤其要注意将当事人的意思渗透到解决过程和结果的一切方面，这样的模糊处理才具有真正的合理性。这是使用模糊处理法的重要前提。

调解员在具体运用模糊处理法时，可能因为需要解决的矛盾的类型不同，具体面对的问题不同，而采用不同的模糊处理方法：

1. 人民调解员要善于运用"信息操作"进行模糊表述，即调解人员有意识地将一方当事人主张的部分内容略而不提，或者加以适当修饰后转达给另一方。在当事人之间意见分歧大、感情对立很深的情况下，一开始就让双方或把一方当事人的意见照原样传达给另一方，都有可能使分歧和对立扩大，不利于达成合意。这样的场合往往有必要先暂时把当事人隔离开来，分别听取他们各自的意见，并加以适当"过滤"后传达给另一方。当然，这种信息操作不能是无限制的，一是当事人之间有可能直接会面对话，因而信息的操作不能过于离谱；二是从道义上讲，在这样的信息操作中也潜藏着过分追求纠纷解决的效果而不惜弄虚作假的危险。因此，尽管信息操作在诱导合意形成上往往很有效，也只能将其看成促进当事人对话的一种方式，不论在内容上还是方法上都必须以不违反一般的道德规范和使当事人能够接受为限度。

2. 人民调解员要善于运用模糊调查。人民调解员在调查纠纷实际情况的过程中，询问当事人和其他知情人的时候，不要企图对纠纷形成与发展过程中的每句话、每个行为都必须查实，只要基本脉络清楚，以分清责任为标准就可以了。

3. 人民调解员要善于进行模糊调解。在商定解决纠纷具体方案时，只要双方的基本权利和义务得到保障和承担，就引导他们达成调解协议，否则，当事人会在枝节问题上斤斤计较，影响协议的达成。很多矛盾本身不是什么原则问题，因此只能是采取一种弥和矛盾，小事化了的态度。但这并不意味着调解员放弃原则，和稀泥，对大是大非的原则性问题，支持什么，反对什么，要当场表明，有比较鲜明的态度。

4. 调解员应当善于运用模糊批评法。模糊批评法即"点到为止"，就是把在调解过程中发现的当事人的模糊行为、表现出来的错误思想，寻找适当的时机、在适当的场合用严厉而中肯的方式提出。

案例 6-5

唐某于 2004 年 2 月到某镇服装厂上班，2004 年 3 月 6 日晚上约 7 点多钟，也就是职工们下班之后，唐某与几个同事在宿舍里聊天，此时乔某买来口香糖分给同事们吃。唐某吃口香糖时不慎将口香糖咽了下去。当时也没在意，大约过了 5 分钟之后，唐某口吐白沫，不省人事。同事们立即将唐某送往附近医院抢救，公司领导也闻讯赶到。医生在抢救唐某的过程中，发现唐某已经停止了呼吸。随后厂领导及时通知了死者家属，晚上 11 点左右，死者家属也赶到了医院。不明真相的死者家属一进医院门就大哭大闹，认为儿子死得不明不白。经医生检查，发现唐某喉咙里有一块口香糖，并且心脏也不好。经了解，唐某本来就有心脏病史。最后经医院诊断，唐某系因吃口香糖窒息而死。

第二天早晨刚上班，镇司法所周所长就接到服装公司所在村调解委员会刘主任的电话，周所长听刘主任叙述了事情经过后，立即带领两名司法助理员到村调委会调解此事。刚一进大门，就看见围了很多人，有的人表情凝重，面带怒气，声称如果不把事情解决好，就把尸体抬到村委会来；还有的人摩拳擦掌，将要动手，眼看要爆发一场激烈的争斗。周所长和司法助理员冲进人群，大声说："我们是镇司法所的，有什么事好商量，谁也不许动手，那样不但事情解决不了，反而会受到法律制裁的。"经周所长这么一说，人们马上安静了下来。之后，周所长等三人和村调委会成员将死者家属和服装公司领导一起叫到村委会调解室，开始调解这场因吃口香糖引发的死亡赔偿纠纷。

调解人员先安抚死者家属的情绪，告诉他们遇事要冷静，千万不要做出违法犯罪的事来，有司法所及村委会成员出面，谁的利益也不会受到损害。经过劝说，死者家属同意调解，表示不会将尸体抬到村委会。待死者家属情绪稳定后，根据本案的实际情况，周所长首先就整个纠纷给双方当事人做了分析，说明唐某的死亡主要是由他自己吃口香糖导致的，另一个原因是唐某有心脏病史；这种情况下，服装公司并没有责任，可是从死者家属的心情及其生活状况考虑，服装公司也应该适当给予一些补偿。服装公司领导表示同意周所长的建议，但补偿不能超过2000元。死者家属一听就火了，声称唐某是在服装公司死的，给2000元补偿绝对不行，如果不满足他们的要求，他们下午就把尸体拉到公司去。周所长一看事态不好，便与村调委会主任商量，缓一天再调解，让双方考虑考虑。村委会派人将死者家属送到旅店，安排好他们的食宿。

下午，周所长和其他调解人员来到服装公司，准备先做通公司负责人的思想工作。他们对公司负责人说："我们知道公司现在不景气，但是您考虑一下，给予一定补偿是利大于弊的。首先，虽说死者死亡不应该由你们公司承担责任，但考虑到死者家属的困难状况，两位老人膝下没有其他的子女，又没有固定生活来源，将来的养老都是问题，从情理上讲给予一定补偿是应该的；其次，虽说死者是在下班后死亡的，但这事毕竟是在公司里发生的，公司出于人道主义精神给予死者家属适当补偿也能让职工感到公司人性化管理的力量，对于增强企业凝聚力有好处。公司负责人觉得调解员的劝说入情入理，同意适当提高补偿金额。

最终，双方当事人在调解员的主持下，达成了如下协议：由服装公司给付死者唐某丧葬费等各项费用共7000元，双方均在协议上签了字。

周所长与调解人员调处这起死亡赔偿纠纷运用的是模糊处理和法治与德治相结合的方法。本案中调解赔偿纠纷的关键在于补偿数额的确定，调解人员在运用模糊处理法时，没有一味无原则地调和，他们以法律和事实为依据，首先分析了本案的实际情况，指出从法律和事实的角度看，服装公司对死者的死亡不应该承担法律责任，对此双方都是认可的。这是模糊调解法成功的前提。但是如果完全按照这个原则来处理，纠纷就无法调和了，双方必然会对簿公堂，大家都会因此劳民伤财。调解人员在分清是非责任的基础上，建议服装公司考虑死者家属的实际经济困难，毕竟死者的死亡是在公司里发生的，从情理上应该对死者家属给予适当补偿。在这一点上调解人员做了模糊处理，补偿数额既没有依据，也没有标准，只能用"适当"二字来形容，也就是说，公司从人道主义角度出发给予补偿，且在公司经济承受能力范围内；而补偿数额对于在法律上并无道理的死者家属来说，也能够起到一定的安抚作用。最后双方各自让步确定了共同满意的补偿数额，正是模糊处理的方法起了至关重要的作用。

在本案的调处过程中，调解人员也将法治和德治的方法有机地结合在一起使用。调解人员一方面对死者家属进行法制教育，防止他们做出违法犯罪的行为；另一方面依据法律和事实客观地分析了双方当事人的是非责任，明确指出服装公司在法律上不应该对唐某的死亡承担责任，这一结论是准确和服人的，死者家属无法辩驳。同时，又做通公司负责人的思想工作，使公司考虑死者家属的实际困难，从情理、从人道主义、从公司的长远发展出发，对死者家属给予适当补偿，这充分体现了法治与德治方法的有机结合，从而使双方对最终的调解结果都能够心服口服。

第二节　调解方法技巧

一、调解方法技巧的概念

调解方法技巧是调解人员在调解时所采取的具体的调解措施。人民调解委员会调解纠纷，应当在查明事实、分清责任的基础上，根据当事人的特点和纠纷性质、难易程度、发展变化的情况，采取灵活多样的方式方法，开展耐心、细致的说服疏导工作，促使双方当事人互谅互让，消除隔阂，引导、帮助当事人达成解决纠纷的调解协议。

二、运用调解方法技巧的总原则

对当事人进行说服劝导时，应掌握以下原则：

1. 既要坚持实事求是，依法办事的原则，又要因人因案制宜，分别对待，体现灵活性。从事人民调解工作要从治本着手，注重强化人民群众的法律意识和公德意识，在基层经常开展法制宣传教育，加强社会主义精神文明建设、加强社会主义民主和法制建设。但民间纠纷是千差万别的，不同种类的纠纷有不同的特点，同一种类的纠纷又有不同的情况，这就需要在坚持原则性的同时体现一定的灵活性。

在一件纠纷的发生、发展及解决过程中，都是在纠纷当事人的心理调节和支配下实行的，而其心理则是当事人对纠纷这个客观现实的反映。然而，人们因文化素质、道德修养、法律意识、生活环境的差异以及脾气、性格、兴趣、爱好等个性特征的不同，所引起的心理演变过程也各有不同，所以，必须掌握纠纷当事人的心理变化。掌握当事人的心理，一般要经过三条途径：①了解从少年到老年的人生不同的时期的心理发展共性；②了解当事人平时的兴趣、爱好、气质、性格等心理特征；③注意观察当事人言行、表情、动作等外部表现，了解其心理现状。在掌握纠纷当事人的心理基础上，采用不同的方法进行疏导。如对心直口快、脾气暴躁的人，要特别注意摆事实、讲道理，采用"冷处理"，避其锋芒，使其冷静下来；对反映敏感、接受道理快、承认错误快，但易反复的人，要特别注意严格要求，及时调处，签订协议，多做工作，防止反复；对性格内向、不善交往、反应迟钝的人，要及时掌握他们的思想脉搏，反复交谈，为他们提供思考时间，不要急于逼他们表态；对有一定文化知识的当事人，要用严密的逻辑推理推出和证明自己观点的正确性，如果仅用一般事例就事论事，就不能使他们信服；对于文化水平不高和主要从事实际工作的人，就要注重实际，结合典型事例进行分析，才能使他们信服，如果只注重理论的说教，常常会使他们反感。这充分说明灵活性在调解活动中的重要性。

2. 既要重视劝导效果，把思想工作做到当事人的心坎上，使当事人口服心服，又要不怕麻烦，不怕反复，以高度负责的精神，想方设法感化、启发当事人。在调解工作中，调解人员不仅要愿干、敢干、而且要会干。会干就是调解技巧。调解技巧是调解人员的基本功，它是心理学和方法论、动机和效果的统一。那种以长者的身份训人、以大话吓人、以权压人、以权术治人的错误的调解方法应当纠正，因为它违背了调解人员必须遵守的纪律。调解又是一项很细致的工作，就连调解地点的选择，调解气氛的创造，社会力量的利用以及调解过程中何时表态，用何种方法表态等都是不可忽视的问题。调解人员对纠纷发生的原因、关键环节要仔细周密地分析、调查、核实；对纠纷双方当事人要耐心细致地做好疏导转化工作，制订调解方案要依照法律并详细周密、切实有效。

3. 既要坚持满腔热忱、和风细雨的疏导，又要严肃认真，大胆使用批评武器，教育当事人认识自己的错误。调解员要稳住双方当事人，随时做好工作增强他们对纠纷能得到妥善解决的信心和希望，也要敢于控制已激化的纠纷，特别是带有险情的纠纷。调解员面对险情应临危不惧，敢于挺身而出，把人民群众的利益放在首位。

4. 既要以与当事人平等的身份进行劝解，又要不失调解活动中的主导地位。

三、综合运用调解方法技巧的指导思想

1. 宜快不宜慢。这是指对突发性的纠纷做到灵敏快捷地赶到现场，快刀斩乱麻，控制事态发展，防止纠纷激化。

2. 宜少不宜多。这是指调解人员在调解纠纷时，多听少说，耐心听取当事人陈述，不急于表态。

3. 宜冷不宜热。指的是对不继续恶化的纠纷，不急于调解，采取冷处理的方法，待双方情绪平复以后再把握时机进行调解。做具体的调解时，不要想当然地提出调解的方法，这样很容易碰壁。首先，在表态之前调解人员必须弄清冲突的实质。通过观察和了解，看看冲突双方都做了些什么，听听周围的人对此有何议论，不难找到冲突的根源。其次在心态上调解人员要保持中立，做到不偏不倚。调解人员对冲突肯定有自己的看法，但作为调解人员，目的是为了让矛盾双方息战和解，否则会使人产生误解，加剧冲突。调解时不必专讲是非曲直，甚至可以对明显有过错的一方也表现出"理解"，目的是为了使冲突双方能坐下来面对面地交谈。再次，在调解时机上应避免在冲突达到高潮时出面调解，将冲突消灭于萌芽状态需要有先见之当明，两人都在火头上不是调解的好时机，出面调解多半无功而返。谨慎而聪明的做法是将冲突的双方劝开，这是第一步，第二步才是调解。等到双方都冷静下来，对冲突感到疲乏并且有调解的愿望的时候，虽然不像冲突刚起时调解那么容易，但是却能收到实效。最后，在调解过程中必须刺探双方最大的让步限度，从中找出共同点和分歧点，经过反复分析、商量，提出一个双方都能够接受的办法，而不是想当然地提出调解的办法。

4. 宜粗不宜细。宜粗不宜细指的是调解人员调解纠纷时，不要试图对纠纷

形成与发展过程中的每一句话，每个细枝末节都穷追不舍或纠缠不清，只要基本脉络清楚，责任分明就可以了。在商定解决纠纷的具体方案时，只要双方的基本权利和义务得到保障和承担，就引导他们达成调解协议，避免当事人在枝节问题上斤斤计较，影响协议的达成。

5. 宜暗不宜明。宜暗不宜明是对调解的方式技巧的具体要求，指的是遇情绪激动的当事人，先背靠背地做工作，待情绪稳定后，再面对面调解，或对不宜公开的调解内容不公开调解，不宜公开的处理结果不外扬。

思考题：

1. 试举一例说明模糊处理法。
2. 试举一例说明苗头预测法。

要想在与法律有关的职业中取得成功，你必须尽力培养自己掌握语言的能力。

——丹宁勋爵

第七章　人民调解的语言技巧

调解语言技巧是调解人员在调解工作中恰当、得体、适时地运用语言调解纠纷的技能。调解就是运用评判、解释、劝说等语言形式，为当事人消除纠纷，化解矛盾，语言技巧对调解人员来说至关重要，它是调解能否成功的关键。在调解工作中，调解人员要用语言对当事人进行说服、教育、批评、劝导，一句话，出自不同的时间、地点、不同人之口会产生不同的效果。这就要求调解人员不但要抓住调解时机，还要"语重心长"，把话说到当事人的心里，点到症结上，调解才能有力，否则说浅了不能奏效，说深了适得其反。

第一节　使用调解语言的总原则

人文关怀和法制化紧密结合是实施人民调解的语言技巧的核心。调解人员既要把准确运用法律知识化解当事人之间的矛盾，消除纠纷，息事宁人为目的，同时，又要把巧妙利用语言艺术对当事人实施人文关怀，让当事人心悦诚服，和谐安宁地相处作为调解成功的标准。

一、平等文明，理解尊重，温雅中肯，委婉贴切

调解员进行调解时应措辞文明，态度温雅，语言谦逊谨慎而中肯，不把观点强加于人。语言文明礼貌是人际交往的最基本原则，也是化解矛盾时语言表达的要求。俗语云："良言一句三冬暖，恶语伤人六月寒。"调解员调解时语言文明礼貌，平易近人，当事人才愿意说出心里话，调解工作的开展才会顺利。要做好调解工作，就要站在当事人的角度，设身处地为当事人着想，特别是与当事人谈话，既要把握说话的语气，做到"轻重适当，文明有礼"，又要巧妙运用语言技

巧，缩短与当事人之间的感情距离，赢得当事人信赖，创造良好的调解工作氛围。与当事人谈话，轻声细语比慷慨激昂的声音效果好；朴实无华的俗语、口语比晦涩难懂的术语、法言法语效果好；微笑轻松的表情比严肃紧张的表情效果好；使用本地方言比标准普通话效果好；谈话时与当事人距离近一点比远一点效果好。[1]

平等文明，理解尊重。要求调解人员要在细节问题上尊重双方当事人，礼貌热情地对待双方当事人，设身处地为其着想，理解其苦衷，积极调解其纠纷；另一方面调解人员要善于教育、引导双方当事人互相尊重、互相理解，尝试着换位思考，以利于双方在调解中互谅互让，达成和解。

温雅中肯，委婉贴切。要求调解纠纷时态度温雅和善，语调同情恳切，表达委婉含蓄，措辞恰当确切。

人民调解是本着自愿、合法的原则，通过平等协商、互谅互让达成协议、解决纠纷的。在调解过程中，调解人员要运用语言营造一种轻松、平和的氛围，以利于当事人双方心平气和地进行协商、和解。如果摆起架子，板起面孔，言语冷淡生硬，则易使当事人陷入压抑、反感的负面情绪中，产生对抗、抵触心理，导致调解难以进行。和蔼可亲的语气、和善诚恳的态度，体现出的是一种能让双方当事人产生认同感的亲和力。这种亲和力特点是促成当事人和解的情感润滑剂。调解员在进行思想工作时要富有人情味，和风细雨，潜移默化，情真意切，力戒简单粗暴，空泛说教，平淡枯燥。要充分贯彻自愿合法原则，不得随意使用强迫、命令、威胁、训斥的语言，而是尽量通过具有启发性、协商性、调和性的话语，引导双方当事人互谅互让，促成双方当事人自愿达成和解，消除纠纷。如果仅根据当事人单方面的要求，就勉强参与调解，或用粗暴、威逼的语言强制调解，就不仅背离了法律，而且还会使矛盾激化，纠纷扩大，与调解的初衷背道而驰。

"至诚足以感人"，"精诚所至，金石为开"，都说明在说服他人的过程中话语中肯、态度恳切的重要性，没有这一前提，即便说服者有雄辩的口才，机智的话锋，其本质仍不过强词夺理，难以使人悦服。调解人员只有用热情真诚的语言接待当事人，感染当事人，表明对双方当事人的尊重，以及解决双方纠纷的诚意和负责的态度，才能为调解成功创设一个良好的开端。如"我希望能够成为你们双方沟通的桥梁"，"我知道你们双方都是非常有诚意的"，"我知道这件事困

---

[1] 陈波："做好调解工作的几点体会"，载《山东审判》2005 年第 4 期。

扰了你们很久，给你们双方的生活、工作造成了很大的影响"等等，寥寥数语，往往可以缩短当事人与调解人员之间的距离，当事人感受到了调解人员的真诚与亲切，就容易在情感上对调解人员的调解产生认同感，在心理上接纳调解人员。在真诚的语言创设的融洽氛围中，当事人就愿意敞开心扉，实话实说，积极配合调解，愿意接受调解人员的意见。

培根说："含蓄和得体，比口若悬河更可贵。"说明某些问题，适应某种场合，只有含蓄委婉的说话，才能使对方接受。若在谈话中因环境、气氛、心理等因素，有些内容不便直接说出来，就用婉转的语言来表达，"转着弯说"，使对方领悟到言外之意、弦外之音，这样可以避免给对方造成不良刺激，破坏谈话的情绪，使谈话无法进行下去，甚至使矛盾升级。调解者不直说本意，只是用婉曲含蓄的话来烘托暗示，这就是调解语言技巧中的"宜曲不宜直"。委婉和含蓄是紧密相连的，并非花言巧语，含糊其辞是因为它既不是为了哗众取宠，耍什么花招，也不是语言不清，态度不明，让人弄不明白什么意思。它是一种富于智慧的表达技巧，是为某种需要而采用的方法。有时可以把问题模糊，或用别的词替代，或暗示，甚至可以闪避。

二、准确鲜明，通俗实在，亦庄亦谐，生动形象

调解人员调解纠纷，向人民群众进行宣传教育时，运用语言以准确、鲜明、庄重为原则。通过深入细致的调查，调解人员在调解时，调解语言应内容明确，富有逻辑，对某一事实的陈述应简明扼要、层次分明，切忌牵扯含混，使纠纷当事人不得要领。用语要准确、简洁、有理有据，不能模棱两可，是非不分。同时要注意，调解工作的对象是广大人民群众，特别是在广阔的农村、城镇，人民调解员面对的大部分是文化水平不高，法律知识不多的基层群众。因此在与纠纷当事人谈话时，调解员要善于将大道理转化为贴近实际生活的小道理，娓娓道来，春风化雨。切忌故作高深，大量使用文言文、书面语，应避免使用生僻晦涩的词语，避免机械引述法律、法规条款，少用专业术语，不可追求使用华丽的辞藻矫饰，更不可哗众取宠，而应多用大众化语言，如俗语、歇后语或幽默笑话，适当运用比喻、拟人、夸张、对比等修辞手法，往往能提高语言的表现力和谈话的感染力，达到事半功倍的效果。比如，对纠纷当事人进行诚实守信教育，教育其在社会交往和经济生活中诚实不欺，恪守诺言，言行一致，可说"人无信不立"、"一言既出，驷马难追；一物既许，终身难悔"、"欲成事，取信义"等等。在调解过程中若能使用亦庄亦谐，幽默风趣，生动形象的语言，还可以舒缓纠纷当时

的紧张氛围，安抚当事人的情绪，使双方的激烈冲突得到缓解，避免矛盾向激化的方面发展。即便是批评教育当事人，也是诙谐幽默的语言远胜于简单粗暴的斥责和平淡乏味的说教，既能避免矛盾升级，又不伤当事人的自尊心，能使其心悦诚服地接受批评。

三、慎用语言，多听少说

从调解的时机上讲，调解的语言技巧要求"宜缓不宜急"。钢铁大王卡耐基曾说："倾听是我们对任何人的一种至高的恭维。"心理学家杰克·伍德说："很少人能拒绝接受专心注意、倾听所包含的赞美。"可见人际交往中需要注意倾听对方说话，应该给对方以说话的机会。表现在人民调解实践中，则是准确把握说话的时机，谨慎用语，特别是在现场调处中不能急于论断草率处理，而是要根据具体情况，在双方情绪稳定的情况下，心平气和地进行调处。在矛盾冲突的白热化阶段调解员即使提高嗓门滔滔不绝，当事人也未必听得进去，且言多必失，授人以柄，反而横生枝节，背离调解的初衷。比较妥当的是采取"冷处理"的形式，谨慎用语，不说不负责任的推诿话，不说激化矛盾的生硬话，不说无政策法律依据的过头话，不说不利于团结稳定的话。[1]

这一原则要求：

1. 在情况不清、原因不明时，不要轻易下结论，而应多听少说。

2. 在调查阶段要耐心倾听当事人的陈述，不要急着表态或批评，不要随意承诺，尽量避免无谓的争论，也不要在人多的场合当众断言双方是非。

四、恰当得体，因人而异

恰当得体，因人而异就是"在什么山唱什么歌"，"看什么人说什么话"，根据不同的对象说不同的话，语言恰当、有分寸。调解纠纷，应在不同的场合，针对不同的对象，说不同内容的话。文化水平高的，适当点拨，晓之以理；对文化水平低的，用通俗易懂的语言，深入浅出地开导；对得理不让人的，让其把话说完，冷静下来再慢慢说服；对无理取闹者，阐明法律政策，指出危害，警告训诫。[2]

人民调解员的谈话内容应随着谈话对象、谈话地点和谈话时间的不同而不

---

〔1〕 梁爱清："浅谈警务调解工作语言的使用"，载《公安教育》2001年第8期。
〔2〕 梁爱清："浅谈警务调解工作语言的使用"，载《公安教育》2001年第8期。

同，并不意味着人民调解员没有原则，言不由衷。相反，与当事人谈话时考虑人、时、地三个因素，恰恰反映了人民调解员工作态度的认真，调解技巧的成熟。

第二节 谈话内容的具体运用技巧

古语云："责人则明，责己则昏"；"隐恶而扬善"；"忠言逆耳"等等。这些都充分说明期望被赞同是人之常情。当某人对某事物形成某种意识或做出某项决定前，都经历了一段曲折反复的心理过程。一旦形成意识或做出决定，便产生了信念和情感。因此，别人企图将其改变，其困难就可想而知了。尽管对反对者的理由相当充足，采取直接反驳的形式也不能奏效，而必须恰当适用一定的语言技巧，才可能达到说服之目的。

一、屈而后伸，先扬后抑

林语堂先生形容"先赞誉后劝导"的方法仿佛是"一种苦味的药丸"，外面裹着糖衣，使人吃到嘴里先感觉到可口的甜味，容易一口吞下肚子去。于是，药物进入胃肠，药性发生效用，疾病也就医治好了。我们要对人说规劝的话，在未说之前，先来给人家一番赞誉，使人尝一些甜，然后你再说上规劝的话，人家就容易接受了。[1] 期望被赞同，不愿遭反对，是人类的一种共性。尤其是对于自尊心或逆反心理较强的当事人，不太适用直接批评指正其过失。直率地指摘当事人的过失，即便调解人员所说是实，其个性决定了其往往不接受调解人员的正确意见，反而会因羞恼而生强烈的反感。要使当事人改变其原有想法而接受自己的意见，可以采用先肯定对方（包括对方的想法，对方的为人，对方的优点长处，其已取得的成就等），甚至加以赞赏的方法，待适当的时机到来，再解说自己的观点，或对当事人的错误提出批评，从而使当事人接受调解员的意见。

在调解实践中，肯定对方的具体方法有：①可以先找出与对方意见的共同点，开发话机，娓娓引导"任何冲突的意见，不论双方的意见是怎样的严重和远离，我们总可以找出一些共同之点来让大家讨论的。"[2] 但我们同意他人的

---

〔1〕 林语堂：《怎样说话与演讲》，文化艺术出版社 2004 年版，第 118 页。
〔2〕 林语堂：《怎样说话与演讲》，文化艺术出版社 2004 年版，第 109 页。

主张，目的只是避免无谓的争论，在调解工作中"屈"不意味着放弃原则，而表现为"理解"，即对当事人的过错和冲动要设身处地，对其不利的处境、不幸的经历、不安的思绪要表示体谅。"屈而后伸"之屈，只是手段，伸才是目的。②对被调解者优点长处及时予以褒扬激励。实践表明赞扬的话有缩短与当事人的心理距离，稳定情绪，平息激愤之情的功效，因为这些话使当事人感到他获得了调解员的理解，他无须通过积极的辩解和激烈的言辞表明自己行为的正当性，而可以较为平静地向调解员讲述自己的观点，表明自己的态度。此时如果调解员能够耐心开导，多数当事人愿意敞开心扉。通过表扬鼓励，可调动当事人的积极性，堵住可能反复的退路，从而使调解成功。③"屈而后伸"并不排除对当事人进行批评教育。调解人员可先找出自己的看法中与该当事人的共同之处，肯定其某些看法，褒扬其成绩优点，再对其进行含蓄的批评。对方的想法受到肯定和赞赏，自尊心未遭伤害而自信心却得到了满足。此时，调解员再解说自己的观点，对方或出于礼貌之回报不便硬性抵触，或认为自己的付出得到了应得的肯定从而平静下来，理性地对待这场纠纷，或会因觉得调解人员的批评没有恶意，立场客观公正从而接受调解人员的批评意见。

在应用褒扬激励的方法进行调解时，要抱着诚挚的态度和注意分寸的拿捏。首先要注意调解员对当事人的赞扬，绝不能是无中生有的奉承话或虚伪的称赞，其次，对当事人的表扬要实事求是，恰如其分，同时也要注意对当事人的赞扬应选择适当的方法。

对于个人修养较高、个性开朗、善于听取他人意见的当事人，调解人员可以运用批评教育的方法为主，视其可接受的程度，或直截了当提出批评意见，要求其改正错误，与对方当事人和解；或委婉含蓄地旁敲侧击，将其不妥的做法点醒，使其领悟到言外之意、弦外之音，自觉自愿化干戈为玉帛。

案例 7 – 1[1]

一对年轻夫妇要求离婚，男方是一位职业作曲家，女方是一位英语翻译。妻子一直很钦佩自己的丈夫，丈夫也疼爱自己的妻子。结婚两年后，妻子在家有种压抑感，总觉得在丈夫身边矮了一截，好象在逐渐失去自我。而在工作中，又觉得口译人员只是一种工具，像架干活机器，无任何创造性可言，且身份卑微，职

---

〔1〕 案见林华章主编：《应用口才教程》，法律出版社 2004 年版，第 166～168 页。

位低下。于是经常出席社交团体，并演唱通俗歌曲。由于她嗓音很甜，身材也很美，不断获得成功，周围聚集了一大批崇拜者。但她的丈夫从未去听过她的演唱，不满意她"下海"。妻子在家练唱时，丈夫便经常泼冷水，说什么"直着喉咙干吼，这也叫音乐？"、"你这样拳打脚踢是练少林武功还是唱抒情歌曲？"以及"真正有演唱实力的人是不靠搔首弄姿来掩盖缺陷的"，等等。妻子原先对丈夫言听计从、百依百顺，如今却非常反感，认为自己已被社会认可，有了名气，而回到家里偏受"这份窝囊气"。尽管她从不和丈夫争吵，情感却与他日渐疏远。她不愿看他那副冷脸，甚至整日整夜不回家门。丈夫于是大发脾气，说自己"当初瞎了眼，遇上这么个庸俗浅薄的女人"、"毁了自己的一生"。夫妇俩闹离婚，虽说接受调解，但打定了主意要离婚。调解员事先曾听取了当事人双方的陈述，并结合一些调查分析，认为他俩的感情尚未破裂，且是十分令人羡慕的一对佳偶，于是做了极其充分的准备，在调解时这样进行说服："你在家中委屈，而在外面风光，有一种找回失去自我的感觉，这是很自然的，谁都能理解。听了你的述说，我很欣赏你这种重新发现自我、塑造自我的精神，并为你获得的成功表示祝贺。现在时兴第二职业，你既能翻译，又能演唱，是桩好事。下次若有你的节目，请别忘了送张票给我，我真想听听你的歌声，看看你在舞台上的风采。"

此时女方嫣然一笑，男方睁大了眼睛。

"不过，你也有点美中不足，愿意我讲出来吗？"

女说："欢迎指教。"

"你抓了冬瓜，丢了西瓜。"

"我不太懂。"

"西瓜就是这一位，你的丈夫。据说他是一位造诣很深的作曲家和钢琴演奏家，是这样吗？"

"我没有说他不是。"

"对呀，哪位女士嫁给这样一个人，特别是爱唱歌的嫁给这样一位音乐家，真是再理想不过了。请别忙，听我讲完，不仅可把他当丈夫，还能把他当师傅。既是爱侣，又是畏友，这该多好！别人打着灯笼都找不到，你找到了却要把他甩掉，这就太不精明了。凭着他的专业知识，帮你提高演唱水平，一分钱都不用花，也不必进音乐学院，这样的机遇不是每个人都有的。你难道没想过，得到的东西一旦失去才会觉得其珍贵？失而复得有多难吗？你故意跟他疏远，连家都不回，就不怕别人把他偷走？还亏你想得出要跟他离婚，未免太慷慨大方了。离婚容易办理，今天我就能为你们调解离婚。只是你得好好想想，离了婚不会后悔吗？也许现在口头上你会说'绝不会'"，但有理智的人不该被一时的冲动所左右，我指的是内心的真实，是未来的真实。一旦离了婚，后悔就晚了，虽然还可以复婚，但你是个爱面子的人物，对不对？"

女不语，低头沉思。调解员转向男：

"而你呢，客观地说，也并不全错。你对通俗歌曲演唱时一些现象的评价，可以理解，因为你是这方面的专家，境界和标准更高，当然不会随波逐流。就以我们这些外行来看，在闲谈时也有些不以为然。唱歌的人干吗要在台上恶狠狠地用手指着观众？这不是吵架的举动吗？有时也正象你说的'拳打脚踢'，确实令人倒胃口。难怪行家们讲那是一种'水货'和'花架子'，'以此掩盖演唱技巧之不足'。唱歌嘛，当然要靠声音取胜而不能靠身体讨好。"

男异常兴奋，频频点头。

"但是，你想改变这种品位恐怕是心有余而力不足。你连自己身边的人，朝夕相处的爱人都改变不了，这也不能不令人遗憾。你如果真有本事，就该以正确的途径和科学的方法引导你的妻子步入音乐更高的殿堂。你没有这样做，甚至不去尝试这样做，只是一味地冷嘲热讽，恐怕与你的身份和修养不太协调吧？真正的音乐大师会是一种什么气概呢？反过来说，假如你真正关心音乐的发展，真正关怀妻子的提高，你就会去参加她的演唱会。然后回家赞美她的优点，指正她的缺点，对不对？人人都渴望赞美，何况是女人？更何况是爱你的妻子？你这样吝啬自己的言辞，就这一点而论，也很难称得上是一位具有现代风范的丈夫。假如你能用自己的关怀和热情帮助你妻子提高演唱水平，你们这对夫妻不是又迈上了一个家庭生活新的台阶，增添了彼此间新的魅力？干吗要使天作之合的佳偶落个不幸离异的结局？好多人一生都在追求幸福而不可得，你有这么温顺美丽又志趣相投的伴侣却不知珍惜，是不是该说身在福中不知福呢？"

说到此，调解员停住了，用期待和鼓舞的眼神望着两位当事人。女的突然起身趋前，热泪盈眶，紧紧握住调解员的手；男的走到她的身边，拥抱着妻子向调解员点头致意，由衷地感谢并说道："你水平比我高！这些话我也会说，就没你说了生效。"

本案的成功调解得益于调解员娴熟老练的"屈而后伸"的说服口才及其广博的知识。本案中的当事人是业余和专业音乐工作者，如果调解员仅仅发现了矛盾所在而对涉及矛盾的知识一窍不通，他就很难找到解决矛盾的方法，而说服也就成了空话。

允许当事人编造谎言，也是"屈而后伸"的体现。在民事调解中，当事人为了维护自身利益，往往会编造谎言以开脱过错。对此，调解员不可一听到谎言就反驳或阻止，而须认真听取，从谎言中可以了解当事人的心态，了解其极力回避的内容和实质，从而便于对症下药，在适当的契机进行疏导和感化。

二、批评教育，警告训诫

调解实践证明，热情耐心、循循善诱的疏导方法，对解开当事人的思想疙瘩有良好的效果，是调解人员必须掌握的语言技巧。但是对于执迷不悟、冥顽不灵、认死理的当事人，以及是非观念薄弱、无理取闹、胡搅蛮缠的当事人则必须批评教育，要敢于使用充分说理的批评，严肃指出如继续坚持错误观点的后果，促使当事人改变错误观点。尤其是在紧急情况下，为了及时控制事态发展，防止民间纠纷激化，对那些固执己见、脾气暴躁、动作粗鲁的人，应有直面矛盾的勇气，而应采用触动式的严厉批评，以法律政策为据反驳对方的错误观点，晓以利害，使其知难而退。

三、情至于理，以情感人

人类各种情感的产生，都非无缘无故，必有其内在原因。其原因即观念和意识。因此我们对某人进行说服时，须从其表现的情感溯源其思想，找到症结所在。某种不当的情绪反应必由某种错误的观点驱使，而"情至于理"可通过富有情感色彩的语言使对方有所感动，激起与现时不同的另一种情感。被激发的情感既可能是其旧有的，也可以是新生的，反正是在目前状态下发生的转化。当调解员发现了对方情感开始转化时，便应强化其感受，深化其认识。调解人员寓情于理的语言能引起当事人的思索，使其放弃自己冲动性的行为，化干戈为玉帛。

案例 7-2

一位朱老太，年60岁，再婚8年不幸又死了丈夫。她与老伴感情深厚，却始终与老伴的儿子——她的继子，感情不和。因此，在与继子分割遗产的问题上发生了矛盾，双方找到调委会，要求进行调解，一位年轻的调解员接受了这一任务。遗产中有一千元的存款，民调员动员朱老太拿出200元给其继子，以了结纠纷。她不同意，理由是：继子对她不好，连声妈都没叫过。那位民调员对朱老太苦口婆心，反反复复地规劝了一个上午，并不断讲解继承法的有关规定，然而毫无成效。朱老太最后一句话还是说："就冲他对我那样，我一个子儿也不给。"此时，一直坐在那儿旁听的调委会主任接过话茬对朱老太说："就说继子对你不好，可对他爹还不错吧？你老伴住院那么长时间，一直是儿子陪床端尿倒屎的，不看僧面看佛面嘛！就看在你死去的老伴面上，分给他儿子 200 元也不过分吧？"没料到的情况出现了，朱老太低头沉思片刻，抬起头来对调委会主任说："您要这么说还行，那就给他 200 元吧。"

调委会主任说话不到 5 分钟就解决了那位民调员一个上午所面临的难题，因为他的话唤醒了对方的情感，对方一旦恢复了过去曾有过的感受，理智也随之清醒过来。朱老太"低头沉思片刻"，便是"情至于理"的过程。

四、巧妙致歉，达成和解

有些矛盾或者纠纷的双方都有调解的愿望，但一时找不到台阶，调解者可以巧妙地代一方向另一方致歉，从而引起另一方的感动而又主动地向对方致歉，这样可有效地促成双方和解。

五、心理相容，唤起共鸣

说服教育只能在自觉自愿的基础上进行，心理相容，唤起共鸣正是这样一种自觉自愿的过程。不论说什么理，说服什么人，都应该依循对方的心理轨迹步步深入，将自己的观点逐渐熔铸在对方的心里，才能达到目的。

案例 7－3

60 岁的黄老汉一只眼失明，其妻双目失明，生有一女，生活十分困难。一天，老汉吵着要搬家，几经盘问他才说："我这个家，三口人三只眼，毛病出在我住的地方'风水'不好。我家东邻姓陈，西舍也姓陈，什么人家能经得住这'沉沉'的东西左右挤夹呀！再住下去，非把我老黄家压'黄'了不可！"支书批评他他也不听。一个 30 多岁的妇女劝他道："你老别怪侄媳妇多嘴——你咋傻了呢？搬啥家？若是我呀，杀头也不挪开那个福窝窝呢！"

"福窝？"老汉怔住了，"那是祸坑！"

"你老听我说嘛！东邻姓陈，西邻也姓陈。你知道吗？那是文武大臣的臣！你老左有文臣，右有武臣，保护着你这个'皇帝'。放心吧，好日子在后头呢！"

"侄媳妇，这话当真？"

"这不明摆着吗？你们老两口才一只眼，你那宝贝凤丫头一人就两只眼！比你俩强吧？她又聪明，又伶俐，黄凤黄凤，是村里面的凤凰，龙凤呈祥的意思嘛！遇上如今这好政策，用不着几年，凤凰双翅一展，任你东邻西舍再沉，也休想压得住呢！——我说黄大爷，这是福地！别人就是想住，想有个文臣武臣保护着，只怕还没有这个福气消受哪！"

"好，侄媳妇，你算说到我心坎上了！"黄老汉很高兴，从此，再也不提搬家的事了。

这个例子是运用心理相容的语言技巧进行说服开导的典型。想要说服对方，不能只从良好的主观愿望出发"自说自话"，而是要揣摩对方的心理后，从对方的立场出发，及时调整自己的语言和态度，唤起对方的呼应，也就是心理共鸣。黄老汉其实是迷信，但这位妇女采用心理相容的方法，从另外一个角度打动了黄老汉。从心理相斥到心理相容，其实质还是让对方通情达理。

六、巧设机关，迷阵擒拿

以迷惑的方式、巧妙的计谋，将对方思路引入我方轨道，使其于不知不觉中顺从我之牵引，接受我之主张，由于调解员的说法是双方同一立场上的进一步开拓与发展，最后调解员想要说服对方的意思，不必自己说出来而反从对方口中说出，这被称为"巧设机关，迷阵擒拿"。

案例 7－4

有一起经济合同纠纷，由于双方都过于计较各自的利益，不愿作出让步，以致久调未决，调解员再次走访了大企业的一方，拟做最后一次说服和疏导。他与该企业法定代表人会面后，久不做声，面带愁容。法定代表人误入迷阵，问调解员出了什么事。调解员说："今天很不走运，早上我到集贸市场买菜，菜贩子本该找还我一角钱，他就是不找，硬说称给我的小菜有多，还不止一角钱。我要他找，他偏不找。扯来扯去，围上一大堆人看热闹。"

"您这是何必呢？"法定代表人不以为然地说，"不过一角钱，像您这样有身份的人何必斤斤计较，还让大家看热闹，太划不来了！谁知道别人在背后怎么议论，这简直有损您的形象呀！"

调解员说："话虽然这么讲，但做起事来却难免糊涂。"

法定代表人会意地笑道："你这该不是在说我吧？我要索回的经济损失可不是一两角钱。"

"其实差不多。"调解员说："与贵公司的信誉和实力相比，不过九牛一毛。"

法定代表人沉思了片刻，终于一掌拍在调解员肩上，"好，我算是服了你了！"

这起纠纷的解决，得益于调解员成功运用了巧设机关，迷阵擒拿的战术。大企业名重于利，是其共同特征。只是由于纠纷心理和对立情绪的驱使，才颠倒了利害关系，忽视了让利原则。调解员为了让对方清醒过来，明白信誉的损害更重于经济的损失，特地巧设机关，将其牵引，终于使其思路纳入正轨。

作为一种高超的口才技巧，迷阵擒拿不能指望一时的灵感赐予，必须通过不断的学习获取。只有在学习的过程中改造惯常的思维模式，同时改变刻板的心理态势，经多次反复训练和实践之后，才能自然而然地形成超常思维和优化心理，久而久之也就成为一种条件反射，熟能生巧。

七、鉴别利害，促进醒悟

有些纠纷的双方都非常固执，对一般性的调解根本听不进去，对于这类纠纷的双方必须晓以利害，才能引起他们心灵上的震动，从而反省自己的行为，达到解决纠纷的目的。

这种方法简单直接，不需要复杂的技巧，但有两大构成要件——见解和材料。无正确的见解，便分不清利害；无实际的材料，便撑不住见解。因此使用这种方法之前，准备工作愈细愈好。

第三节　语音的运用技巧

林语堂先生曾在《怎样说话与演讲》一书中写道："一位音乐专家弹奏钢琴，和一位普通人弹奏钢琴，虽然两人弹奏着同一个调子，按着同样的几个音键，然而，一则高超，一则平凡，这是为什么呢？因为他们两人所用的方法、情绪、艺术和个性的不同，因而演奏出来便成了天才和凡才的不同了。两位书法大家，他们一同临写一部碑帖，虽然大体相似，但是细察之下，并不完全一样，其道理也是一个样子的。""苏秦的说秦，言辞是怎样使秦国去并吞六国，可是苏秦在秦国是失败的。张仪的说秦，言辞也不外怎样使秦国去并吞六国，然而张仪是成功的。为什么苏秦会失败而张仪会成功？这完全是由于表达的风格不同的缘故。"这充分说明表达技巧的重要性。为了使他人能够接受自己的意见，语音语调的运用，须有快慢的变更和轻重的分别，抑扬顿挫，引人入胜。与此相类，人民调解员与当事人谈话时切忌一潭死水，语音应有轻有重，语气应有急有缓，语调应抑扬顿挫，适当采用重音、停顿、节奏变化的技巧。

语气和谐自然，恰当得体是人民调解员在人民调解中使用语音技巧的总原则。要达到语气和谐自然，恰当得体，人民调解员应注意把握好以下几点：

1. 要不断提高自己的职业道德水准和个人修养，牢固树立全心全意为人民服务的观念。"言为心声。""有善心，则有善言。"一个人的语气是其内心真实想法的流露，是很难刻意伪装的。只有热爱人民调解工作、关心群众、尊重和乐于帮助他人的品德高尚的人，在繁琐的调解过程中，才不会有不耐烦、嘲笑以及命令式的语气。

2. 多种语气并用。在调解的过程中，调解员不仅要会用关切的语气引导当事人倾诉，而且还要会用委婉的语气提出批评。不仅要会用冷静平和的语气陈述事实，还要会用诚恳真挚的语气对当事人提出希望。内容翻来覆去，句式简单枯燥，语气平淡无味，是调解谈话的大忌。调解人员要能够使用起承转合的句式、抑扬顿挫的声音，充分发挥多种语气共同使用在调解工作中。

3. 不要随意使用嘲笑、命令和明知故问等语气。人民调解工作是一种群众工作，需要得到当事人的理解和协助。嘲笑、命令和明知故问的语气容易给当事人独断专横、装腔作势拿架子等脱离群众的印象，不利于工作的顺利展开。使用这些语气也有违人民调解的平等原则。当然在某些情况下，如纠纷濒临激化时、当事人胡搅蛮缠时，调解人员就可以采用严厉的命令式语气，这样可以产生威慑的效果，力图使事态平息或者压一压蛮横当事人的嚣张气焰。

案例 7-5

家境贫寒的王某向街坊李某借用了一台电风扇，借了两个星期后，李某上王家要回了电风扇。李某回家后发现风扇不转了，便在王某家门口骂开了，街坊邻居纷纷围观。李某骂得更起劲了。就在这时，突然从身后传来严厉的声音："住口。"李某被吓了一跳，回头一看，原来是街道的调解员曹大妈。曹大妈批评了李某几句，李某不甘示弱，说道："曹调解，我看她家可怜，好心好意借电风扇给她用，她把我家的电扇弄坏了，我去找她要时，她连屁都不放一声，当我是傻瓜啊。你说，我该怎么办啊？这电扇还是名牌货呢，花了我家不少钱。"王某低着头，小声说："我也不知坏了。"就不说话了，脸涨得通红。曹大妈知道王某平时老实巴交，腼腆，不善言语，自尊心很强。曹大妈心里有数，便温和地对她说："我知道你都是为了这个家，不容易啊。这么做真是难为你了。这借东西呢，好借好还。"接着用商量的口吻问李某："你现在用不着电扇，就先放在这儿，过几天修好了再给你送过去，你看行吗？"李某却不依不饶，说："不行，这么大毛病哪能修得好？得赔我一个。"曹大妈说道："什么毛病啊？""反正就是不转了。"曹大妈板起了脸，"不转就一定是大毛病吗？"李某没吭声。曹大妈拉了拉王某，说："这次你得好好谢谢小李。别只在心里说啊。"一句话提醒了王某，她忙道谢。李某摆了摆手，"别客气了，都是邻居。"曹大妈的语气也缓和下来，"小李啊，你就再发扬一下风格，先修修看，修不好再赔你个新的。"李某不好说别的，就答应了。这时，曹大妈见王某好象要说点什么，忙说："那就这样。"并让王某有话过会儿再说。

等李某和围观的群众都走了，曹大妈对王某说："我家老陈退休后在家闲得不行。这电扇你就让我抱回去吧，让我家老陈动动手，免得他手艺都荒疏了。"王某知道陈大伯是个高级技工，各种家用电器都会修，曹大妈这是在暗暗帮着自己，维护自己的面子。她感动地说："曹大妈，我说了谎呀，我知道电扇坏了。"曹大妈握着她的手说："知道错就好。咱们人穷志可不能短啊！"王某含着泪，点点头。

调解员曹大妈在调处这起借用物品而产生的纠纷时，灵活运用语气语调的技巧值得广大的调解员学习借鉴。①对不同性格的当事人使用不同的语气语调。对于刁蛮、不依不饶的当事人李某，曹大妈的语气很严厉。因为这类当事人往往吃软怕硬，只有严肃的表情和严厉的语言才能使他们停止谩骂。对于内向又愧疚的当事人王某，曹大妈的语气很温和，很婉转含蓄。因为她知道王某这样做是迫不得已，其内心已经受到了很大谴责。如果曹大妈毫不留情，当场用严厉的话语批评她，直截了当地指出她的错误，王某内心就会受到更大的折磨。因此，批评和教育这一类当事人要讲策略和技巧，尤其是要把握好语气。②对于同一个当事人，语气应随着谈话内容的改变而改变，要有灵活性。对于李某，曹大妈并非一直使用严厉的批评语气。当她说到李某借电风扇给王某用时，曹大妈用的是赞扬的语气。当曹大妈提出修理电风扇的建议时，她并没有用命令式的语气，而是用商量的语气。语气的转换，反映了调解员态度的转变，使当事人觉得调解员更具人情味，也促进了调解员与当事人之间的情感交流。

思考题：

1. 试举例说明如何以迷阵擒拿法或鉴别利害法调解民间纠纷。
2. 试举例说明如何运用语音技巧来调解纠纷。

最初人是无助的，他们受到野兽的威胁，经常面临着死亡的危险。普罗米修斯给他们带来了智慧，并使他们学会如何抵御这种危险。后来，他们一起进入了城市，却不能和睦相处，他们之间开始产生争执。对此，宙斯派赫尔墨斯给人类带来耻辱意识和正义意识。

——普罗塔拉斯

第八章　几种常见民间纠纷的调解技巧

人民调解最主要的功能就是预防和调处纠纷。目前，全国人民调解组织平均每年调解婚姻家庭、相邻关系、生产经营、房屋宅基地、人身伤害赔偿、土地承包等各类民间纠纷 600 多万件，相当于全国法院一审民事受案数的 2 倍左右。其增长速度仍在年年递增。[1] 实践表明，一起纠纷调解成功与否，调解人员的调解技巧起着关键性的作用。调解人员必须加强学习，切实提高调解水平；针对不同性质不同类型的民间纠纷，综合运用不同的调解技巧。

第一节　民间纠纷概述

一、民间纠纷的概念

根据《人民调解工作若干规定》第 20 条的规定，民间纠纷是指发生在公民与公民之间，公民与法人和其他社会组织之间涉及民事权利义务争议的各种纠纷。这也是《人民调解工作若干规定》所界定的人民调解委员会调解的民间纠

---

〔1〕 以浙江省杭州市为例，该市的各类调解委员会在 2004 年一共调解各种民间纠纷 30954 起，以涉及合同调解纠纷、房产买卖纠纷、民工工资纠纷、邻里纠纷、工伤赔偿纠纷等占大多数；其中调处成功的共 29974 件，成功率达 96.8%，即由调解组织受理的民间纠纷绝大部分得到了成功调处；防止民转刑的民间纠纷 420 件，防止自杀的 181 件，制止群体性械斗 233 件，防止群众性上访 472 件，有效防止了民间纠纷的激化。

纷的范围。但现代意义上广义的民间纠纷还包括轻微刑事违法行为和违反社会公德而引起的纠纷。轻微刑事违法行为和违反社会公德而引起的纠纷，有的已经构成了犯罪，但由于情节轻微、情况特殊，法律允许对其进行特殊处理，以利于问题的解决；有的只是违反了道德，这些大量存在的违反社会公共道德规范而引起的纠纷，完全属于非对抗性的人民内部矛盾，虽不是法律问题，但影响却很大，如不及时处理，也会激化成法律事件，造成不良后果。所以应纳入民间纠纷范畴，由人民调解委员会调解处理。

就性质而言，无论是普通的民事纠纷，还是轻微刑事违法行为和违反社会公德而引起的纠纷，都是人民内部的非对抗性矛盾。

二、民间纠纷的特点

1. 民间纠纷的人民性。民间纠纷究其性质是人民内部的非对抗性矛盾。正确处理新时期的人民内部矛盾，关系到改革发展稳定的大局，关系到全面建设小康社会奋斗目标的实现和物质文明、政治文明、精神文明建设的顺利进行。同时，人民内部纠纷的当事人在共同利益上是一致的，因此，对于尚在萌芽状态的纠纷，可以通过预防工作，互相谅解、互相宽容、消除思想上的隔膜，从而遏制纠纷的发生、发展。

2. 民间纠纷具有广泛性和复杂性。在新的历史条件下，随着我国对外开放程度的扩大，全面建设小康社会的启动，民间纠纷较之于改革开放之前呈现出越来越复杂的态势。民间纠纷广泛存在于经济、政治、思想文化和社会生活等各个领域。上述各种领域内的矛盾又相互交织，彼此影响，从而使得民间纠纷错综复杂，呈现出不同于以往的新特点。

3. 民间纠纷具有长期性和潜伏性。民间纠纷从发生到解决往往需要持续很长的期间，除少数之外，都不太可能在短期内获得解决。特别是当事人心悦诚服地接受调解结果，彻底做通当事人的思想工作，更是很难在短期内取得的效果。

4. 民间纠纷具有季节性。某些民间纠纷，由于其独特的特性使得其发生、发展受季节的影响。如重大节日期间婚姻恋爱纠纷多；清明时节串宗祭祖的纠纷多；农忙季节争水、争路、争机具及农机具损害赔偿纠纷多；农闲时节建房、农作物储存、宅基地纠纷多；年终赡养、债权债务纠纷尤其是拖欠农民工工资的纠纷多，等等。把握了民间纠纷发生时间的规律，有助于搞好民间纠纷的预防工作。

5. 民间纠纷具有多变性。民间纠纷并非一成不变，它会随着主观因素和客观形势的变化而发展变化。如若人民调解委员会不及时介入纠纷的阻却与调处工作，矛盾便会升级，并往危害后果更大的方向发展。比如有些民间纠纷一开始只是一般争吵，逐渐成为邻里斗殴，甚至是宗族之间的大规模械斗。民间纠纷的多变性要求人民调解员在纠纷苗头刚出现，就要及时展开调解工作，防止纠纷的蔓延和恶化，引导纠纷的缓和和解决。

6. 民间纠纷具有规律性和可预防性。社会矛盾的生成、发展、激化有着一定的征兆，且有一定的规律可循，民间纠纷发生的时间、地点和发展变化都是有规律的。比如，在春夏农忙时，争水、争地、争农机具的纠纷较多；在节假日里，邻里纠纷、婚姻家庭纠纷比较多。某些民间纠纷只可能发生在农村，如争水、争农机具的纠纷；宗族之间的纠纷多发生于宗族聚居之地；在农村夏季发生的争水纠纷，随着天气的凉爽和雨量的增加，这种纠纷就会缓解，而如果天气越来越热且旱情更严重，争水的纠纷就会加剧；"民转刑"案件虽多是加害人临时起意激情犯罪，但加害人与被害人之间往往早有积怨存在。一旦掌握了民间纠纷的规律性，则民间纠纷的苗头出现后，我们能够采取有效措施，防止矛盾进一步发展和激化，这应该是比较理想的状态。因此，对民间纠纷的调解要做到早预防、早调解，防激化，多回访。针对民间纠纷具有季节性和规律性的实际，超前部署，开展有针对性的重点排查走访，发现纠纷苗头及时采取针对性措施，有效的预防及避免纠纷的发生。

三、民间纠纷的种类

以纠纷所指的对象来划分，民间纠纷可分为婚姻家庭纠纷、生产经营性纠纷、财产性纠纷和侵权性纠纷。

1. 婚姻家庭纠纷。这类纠纷是指因婚姻家庭方面的人身关系及由此产生的财产关系所引起的各种纠纷。主要包括因恋爱解除婚约，夫妻不和，离婚，妇女带产改嫁，借婚姻关系索取财产以及父子、婆媳、妯娌、兄弟姐妹、夫妻之间因分家析产、赡养、抚（扶）养以及家务、家庭暴力等引起的纠纷。

2. 生产经营性纠纷。主要是指在社会生产活动中以生产为目的所引发的纠纷，如种植、养殖、买卖等生产经营性纠纷，还包括因地界、水利、山林果树、草场、滩涂、农机具和牲畜等生产资料使用方面引起的纠纷。

3. 财产性纠纷。是指由于财产的确认、归属、损害等问题所发生的纠纷，但不包括因婚姻家庭关系所引起的财产性纠纷和以生产为目的的财产性纠纷。这类纠纷主要包括所有权纠纷、使用权纠纷、债权债务纠纷。所有权纠纷是指对物

114

质财富的占有、使用、处分权的争议。使用权纠纷是指对物的使用权的争议，如租赁、宅基地纠纷等。债权债务纠纷是指债权人与债务人因债的履行所发生的纠纷。随着社会经济的发展，生产经营性纠纷和财产性纠纷不仅在数量上出现显著增长的趋势，还在种类上扩大到了如农村土地承包过程中产生的各种纠纷、农业产业化服务中的合同纠纷、划分宅基地、财务管理等方面的纠纷，农村集体企业、乡镇企业在转制、租赁、兼并、破产、收购、转让过程中与职工之间的纠纷，或因拖欠工资、医疗费用等发生的纠纷，因在城市（镇）化过程中因征地、拆迁、安置、施工、噪音、道路交通等引发的纠纷，[1] 等等。

4. 侵权性纠纷。侵权性纠纷是指纠纷主体一方或数方不法侵害他人的人身权或财产权引起的纠纷，但必须是未构成犯罪的轻微违法行为所引起的。如情节轻微的损害他人财物，轻微伤害，损害名誉等行为以及由此给受侵害一方造成直接或间接财产损失所引起的纠纷。

四、民间纠纷的变化

随着改革开放的不断深入和市场经济条件下利益格局的不断调整，社会发展进入了矛盾多发期，民间纠纷的方方面面都发生了重大变化。

1. 传统的民间纠纷大量存在并呈现出与其他纠纷相互交错、互为因果的状态。[2] 而新时期人民内部矛盾集中表现为物质利益冲突，经济利益矛盾成为新时期人民内部矛盾的根源性矛盾和主导性矛盾，由于物质利益冲突所引起的民间纠纷在所有的民间纠纷中占多数比例。

2. 公民与法人及其他社会组织之间涉及利益关系的纠纷也大量出现，民间纠纷的主体由单一转向多元化，由公民与公民，转化为公民与经济组织、企业、基层干部、基层政府及其职能部门。

3. 民间纠纷的内容由婚姻、家庭、邻里、房屋宅基地等简单的涉及人身权益、财产权益等方面的纠纷，发展为合同纠纷、土地承包纠纷、下岗失业人员与企业的纠纷、企业拖欠职工工资、医药费纠纷、城市建设噪音扰民纠纷、拆迁征地纠纷等，尤其是群体性纠纷如由拆迁和企业改制等引发的矛盾明显增多，干群纠纷大量涌现。纠纷的表现形式由当事人之间、当事人的亲朋好友、家族之间，转向共同利益的群众与集体、经济组织、管理部门之间的纠纷。另外，随着我国

---

〔1〕 赵晓彪："建立民间经济纠纷危机处理机制的思考"，载《甘肃行政学院学报》2005 年第 2 期。
〔2〕 缪新宝："关于人民调解工作的思考与实践"，载《中国司法》2004 年第 9 期。

现代化进程的加快，一些现代型纠纷诸如环境污染、产品质量责任、医疗事故损害赔偿等与日俱增。

4. 民间纠纷的对抗性增强。当前，日益增多的人民内部矛盾，尽管是在人民群众根本利益一致的基础上产生的，一般说来并不具有对抗性。但是，在社会主义初级阶段，多种经济成分并存和矛盾主体日益多元化和复杂化的情况下，使得人们因物质利益的矛盾而发生冲突，从而引起人民内部矛盾向对抗性的方面转化。如果这些矛盾得不到及时合理解决，就有可能向对抗性转化，就会严重影响正常的社会生活秩序，影响经济发展，造成大局不稳。[1]

面对新形势下民间纠纷的这些特点，传统的人民调解暴露出滞后的短处。世异时移而不与时俱进，仍沿用传统人民调解的组织形态、运行机制和工作方法来对待当今变化了的世态人情，出现难以适应的局面，当属自然。[2]

五、民间纠纷激化

（一）民间纠纷激化的概念与特征

人民内部的矛盾，一方面应采用批评、教育和说服的方式来处理；同时，这样一种矛盾也会激化和转化为敌我矛盾，从而使民事性的纠纷激化成为刑事性案件。[3] 所谓民间纠纷的激化，是指由民间纠纷酿成的特定的刑事案件及自杀案件。近年来，民间有关家庭、婚姻、虐待老人、邻里纠纷等方面的民事案件呈上升趋势，许多纠纷调解难度大，事态难平息，矛盾易激化，处理不当极易引发恶性事件。

"民转刑"案件非常复杂，但主要表现为下列特征：

1. 犯罪主体呈"四多"，男性被告人多，文化素质低的多，无业人员多，成年人犯罪多。

2. 案件类型的集中性，以人身型犯罪为主，犯罪类型以故意伤害、故意杀人、非法拘禁表现突出，其中故意伤害案件尤为突出。

3. 作案手段的单一性，从被告人主观故意考虑，一般都是临时起意，虽事

〔1〕 周明海、吴静波："论人民调解与新时期人民内部矛盾的解决"，载《安徽电气工程职业技术学院学报》2005 年第 2 期。

〔2〕 林险峰、李明哲："当前人民调解工作的困境与出路"，载《中国司法》2004 年第 11 期。

〔3〕 〔日〕高见泽磨著，何勤华、李秀清、曲阳译：《现代中国的纠纷与法》，法律出版社 2003 年版，第 8 页。

先有积怨存在，但转化成刑事案件则大多由于突发语言冲突等意外因素的加入引起的，作案手段表现为激情动手，有预谋地实施暴力犯罪的情形不多。

4. 纠纷形式的多样性。从纠纷双方主体关系看，主要发生于居民之间、村民之间、外来人员之间。从原民事纠纷的类型看，主要有合同纠纷、恋爱婚姻家庭纠纷、行业竞争纠纷和相邻权纠纷等。[1]

（二）民间纠纷激化的规律

一般认为，民间纠纷的恶性转化，并发展成为凶杀、伤害等恶性案件或自杀事件时，它要经过三个阶段，即纠纷的发生阶段；矛盾的潜伏或发展阶段；爆发阶段。这就是关于民间纠纷激化问题的三段论。

（三）预防民间纠纷激化的基本原则

1. 预防为主原则。防止民间纠纷激化，必须以预防为主，这是由社会主义制度的根本性质决定的，也是由民间纠纷激化的原因、特点及其规律所决定的。只有坚持预防为主的原则，把工作做在前面，才能最大限度地避免由民间纠纷激化酿成的"民转刑"案件。

2. 统一规划，综合治理原则。这是指从整个社会的角度出发，根据与民间纠纷及其激化有关的各因素之间的辩证关系，来对民间纠纷及激化问题进行根本治理。

3. 主动干预原则。主动干预是指行政机关、司法机关、人民团体、群众组织以及负有责任的个人，对已经发生或将要激化的民间纠纷主动予以制止的行为。

它包括两方面的内容：①对发生或群众已上告的纠纷进行积极的调解或处理；②对已经或将要激化的纠纷主动予以制止，不使事态再扩大。

4. 注重社会效益原则。社会效益原则，就是讲究工作效率和社会利益。这是坚持局部效益和长远效益的统一。既讲效率又讲效益，否则，仍然会出现民间纠纷激化屡见不鲜的不正常状况。

5. 依靠群众、群防群治原则。群众路线是预防民间纠纷激化的根本路线。对民间纠纷激化的预防采取群防群治是一种群众性的司法活动。

---

〔1〕 朱珍华："运用调解制度，及时防范'民转刑'——对民转刑案件调查的思考"，载《湖南公安高等专科学校学报》2004 年第 3 期。

第二节　恋爱婚姻家庭纠纷的调解技巧

一、恋爱婚姻家庭纠纷的概念与特点

恋爱婚姻家庭纠纷指的是由恋爱婚姻家庭关系方面的人身关系、财产关系而引起的各种纠纷。它包括恋爱、结婚、继承、赡养、扶养、抚养等纠纷。这类纠纷的特点是涉及青年人多，纠纷发生时间长，易反复。处理好婚姻家庭纠纷，有利于子女的身心健康，有利于家庭和睦，减轻社会压力，降低未成年犯罪及遗弃老人的犯罪行为。家庭是社会的基本细胞，建立民主和睦的婚姻家庭关系，对加强全社会的安定团结，促进社会主义精神文明建设，保障社会主义现代化建设事业的顺利进行有着重要的意义。

婚恋自由、以爱情为基础的自主婚姻和男女平等、文明和睦的家庭已成为当代中国婚姻家庭的主流。改革开放后西风东渐，社会转型时期伦理观念的变化、人们权利意识的加强和对生活品质的日渐重视，恋爱婚姻家庭纠纷呈现持续上升的趋势。恋爱婚姻家庭纠纷在广大农村地区的民间纠纷中所占的比例尤高。目前，农村出外打工的青壮年越来越多，因此而引发的婚姻家庭纠纷也逐年增加。以离婚率的增加、老人的赡养和孩子的抚养问题为民间纠纷的热点问题，由索要财礼、家庭暴力和虐待老人、妇女、儿童所引起的纠纷也为数不少。调解人员在调解恋爱婚姻家庭纠纷时，应更新观念，以适应客观形势的需要。

二、恋爱婚姻家庭纠纷的调解技巧

恋爱婚姻家庭纠纷产生的原因比较复杂，有的因干涉恋爱、干涉婚姻自由引起，有的因早婚、早恋、转亲、换亲引起，有的因重男轻女的封建思想引起，有的因草率结婚或第三者插足引起，有的因哺育小孩、赡养老人、料理家务引起，有的因家庭经济开支不合理引起，有的因老年人再婚引起，有的因婆媳不和引起，还有的因城乡不同、富裕程度不同、职业不同、地位不同、知识结构不同、品德修养不同而引起；纠纷种类繁多，有围绕伴随恋爱、订婚、成亲的财物所引起的纠纷，有离婚纠纷，有继承纠纷，有抚养、扶养或赡养纠纷，有分家析产纠纷，等等。

实践证明对此类纠纷应以预防为主，对于已经发生的恋爱婚姻家庭纠纷，则

应积极调解，及时地使可能激化的矛盾得到缓解。婚姻家庭纠纷调解应注意以下事项：

1. 调解员的调解要以促进家庭和睦为目标，注意调解的方式方法，多采用法治与德治相结合的方法，以亲情感人，以情理服人。

2. 调解婚姻家庭纠纷还应多使用换位思考的方法，一方面人民调解员自身应富有人情味，设身处地为当事人着想，另一方面让当事人以诚信的态度进行换位思考，学会从别人的角度出发，取得他人的理解，支持和谅解。

3. 调解要处理好家庭内部矛盾，应根据情形多适用动员多种力量协同作战的方法，尤其应对家庭中有威信的成员启发开导，让其协助做思想工作。与此相适应，调解婚姻家庭纠纷尤其应注意方式技巧的灵活运用，可根据案情较多地适用座谈会调解的方式。

4. 调解员调处婚姻家庭纠纷应以疏导教育、解决思想问题为主，但对一些涉及实际困难所引起的婚姻家庭纠纷，调解员应及时施以援手，积极与有关部门联系，在可能的条件下帮助解决。

5. 调解婚姻家庭纠纷还应该多使用苗头预测的方法，使矛盾消弭于萌芽状态。

案例 8 - 1

某服装厂职工江某，总无故怀疑妻子曲某有外遇，夫妻之间常常闹纠纷，无心生产。调解委员会和厂领导一面做江某的思想工作，一面积极努力，把其妻子调进本厂工作，使江某消除了疑虑，夫妻和好如初。

案例 8 - 2

调委会主任刘希贵在矛盾排查中发现村民喻某与妻子关系比较紧张，并有恶化的趋势。经了解后发现矛盾主要是由喻某的妻子孝敬公婆不够引起的，而喻某和父母并没有采取正面劝导的方法处理这一问题，而是针锋相对，从而使矛盾不断升级。针对这一情况，刘希贵首先做喻妻的工作，从父母的养育之恩扯到婆媳亲情，说到中华民族尊长敬老的美德，并向其宣传《婚姻法》和《老年人权益保障法》的精神和有关内容，使喻妻深受教育，表示坚决改正过去的做法。随后他又对喻某和其父母进行了开导，使一家人重归于好，在年底还被评为"十星级光荣户"。

在本案中调委会主任刘希贵成功结合了法治与德治相结合、抓主要矛盾等调解方法技巧，采取背靠背调解的调解方式技巧，使喻某、喻妻及其父母冰释前嫌，但最重要的是，调解员通过矛盾排查及时发现了民间纠纷的苗头并及时化解了矛盾纠纷，充分贯彻了人民调解"调防结合，以防为主"的方针，因而达到了调解的目的。

不同类型的婚姻家庭纠纷，所适用的调解技巧亦应有所侧重。

三、婚姻纠纷的调解技巧

在当前形势下，在恋爱婚姻家庭纠纷中，婚姻纠纷数量骤增，如何更新观念，讲究技巧，做好婚姻纠纷的调解工作，是我们面临的新课题。

1. 调解婚姻纠纷应更新观念，坚持《婚姻法》中的基本原则，改变过去"只要有百分之一的希望，就要做百分之百的和好工作"的陈旧观念。受传统封建道德观念的影响，有些老年调解员抱着"宁拆十座庙，不拆一家亲"的想法，存在重视"调合"、轻视"调离"，重视传统伦理道德、轻视法律的倾向。这样不仅解决不了纠纷，且易积怨成仇，激化矛盾。

我国的《婚姻法》明文规定了婚姻自由原则，婚姻自由包括结婚自由，也包括离婚自由。婚姻纠纷是夫妻之间的矛盾，"调合"还是"调离"取决于矛盾自身的性质。调解人员调解婚姻纠纷，既要查清双方当事人闹矛盾的主客观原因，更要准确把握双方感情是否破裂这一客观事实，从而拟订并实施"调合"或者"调离"的方案。夫妻感情尚未破裂，应分清责任，消除误会，千方百计帮助当事人解决实际困难，消除夫妻矛盾的根源，使重归于好。但如果夫妻双方确已感情破裂，就要引导其文明离婚，不能久拖不决，以避免矛盾激化。

有的调解员片面追求"破镜重圆"，把婚姻纠纷导致离婚均作为调解失败来统计，使报表失真。其实文明地解除"死亡"婚姻也属于调解成功，只有婚姻纠纷激化，导致自杀或伤害等后果，才属于调解失败。

2. 调解婚姻纠纷应讲究工作方法与技巧。调解员应根据不同的纠纷当事人、不同的纠纷产生原因以及婚姻矛盾发展的不同阶段的性质，综合适用不同的纠纷调解技巧，坚持"一把钥匙开一把锁"。

申请离婚当事人的离婚原因具有多样性，有婚姻基础方向的原因，也有家庭琐事和经济方面的原因，有的因为猜忌，有的因家庭暴力等，只有针对不同情况采取不同的谈话方式，才能达到较好的效果。对于因家庭琐事、经济和猜忌等原因申请离婚的，应帮助他们树立正确的婚姻家庭观念和应有的责任感，谈话时要动之以情，晓之以理，要以平等的态度，不能有"官话、官腔"，并以生活中已有的实例对他们进行教育，往往能够收到较好的效果。对于遭受家庭暴力的当事人，应给他们一个倾诉的机会，多表示同情，使他们在心理上感到宽慰，对施暴一方应给予严厉的批评，使他们认识到家庭暴力是一种野蛮愚昧、违法的行为，使其从思想上深刻认识并悔改，对于这样的当事人，一般情况下经过调解是可以和好的。

调解婚姻纠纷应抓主要矛盾。着重做双方当事人的工作是毫无疑问的，但有些调解婚姻家庭纠纷是由父母、兄弟、姐妹等其他关系人引起的，而这些人往往在纠纷中起着举足轻重的作用，做好这些人的工作，能收到事半功倍的效果。如果调解组织只重视做当事人的工作而不重视做其他关系人的工作，效果就大受影响。调解组织联合当事人所在单位及妇联等组织积极做好调解工作。调解婚姻纠纷还应注重环境要素的选择。有经验的调解员从不当众调解婚姻纠纷，而是选择在家中或在调委会个别调解，等等。

四、赡养纠纷的调解技巧

我国《宪法》和《婚姻法》都明文规定了成年子女赡养父母的义务，尊老爱幼，笃行孝道也是中华民族的传统美德。但现实中因子女不赡养父母而引起的赡养纠纷在民间纠纷中占很大比例。有道是"家丑不可外扬"，现实中一般老人与子女之间产生赡养纠纷不愿与后者对簿公堂，而且赡养纠纷案件中的老人多半年老体衰，行走不便，甚至一部分人无生活来源，丧失劳动能力，卧病在床，要他们拖着体弱多病之躯亲自到法庭起诉、取证举证、参加开庭审理，来回奔波，自然力不从心。显然，赡养案件更适宜就地调处。而人民调解更能满足老年人就地调处的需要，且人民调解这种解决纠纷的方式更能保护当事人隐私、防止"亲人反目"等伦理成本太高的情形出现。但对于一些蛮不讲理、极端自私自利的人，仅凭好话劝说往往达不到调解的目的，唯有法律才能最终解决问题。万不得已之时，也有很多老人走进法院的大门维护自己的合法权益。但老人告状只是解决养老问题的一种途径，而不是目的。因此，在选择赡养纠纷的解决方式时，应区分情况，因人而异，讲究策略，科学对待。

归结起来，民间赡养纠纷的类型主要有：子女道德水平和思想觉悟低，自私自利，不愿承担赡养义务；子女不愿赡养再婚后的父母；继子女不愿赡养继父母；对子女亲疏不一导致赡养纠纷；女儿不愿赡养父母；孙子女不愿赡养祖父母；以不继承遗产为由拒绝赡养父母，等等。

究其原因，赡养纠纷出现往往基于以下几种情况：

1. 全社会人口老龄化程度高，但社会保障体系还很不健全，生活在最底层的农民收入水平低下，部分职工家庭经济拮据，自顾不暇。

2. 家庭成员法制观念淡薄，没有充分认识到赡养老人既是一种道德义务，也是一种法律义务。

3. 多子女家庭成员之间缺少必要的沟通和谅解，相互推诿，不愿赡养老人，或者个别子女片面强调自己的生活困难，难尽孝道，而置老人于不顾。

案例 8-3

2005年9月20日晚，四川省资阳市雁江区丹山镇大岩村13组村民陈德彬、陈德华兄弟俩为赡养母亲的问题发生争吵，继而进行打斗，竟发生兄弟相残的悲剧，陈德彬持刀将弟弟陈德华杀死。[1]

解决此类纠纷，重在预防，关键在于确立权利观念，使家庭关系契约化。人民调解组织可在以下几方面有所作为：

1. 加大法制宣传力度，宣传《婚姻法》和《老年人权益保障法》的相关内容，着力提高群众的法制意识和敬老爱老的自觉性。

2. 善于发现和培植敬老爱老的先进典型并进行广泛宣传，将好经验和好做法予以推广，倡导全社会关心老年人的物质生活和精神生活。

3. 做好纠纷排查和苗头预测工作，可建立信息员队伍，做到一旦发现赡养纠纷的苗头，就能及时捕捉到有效信息，并集中力量将纠纷苗头消灭在萌芽状态。可建立台账制度，将辖区内老年人的基本情况登记造册，落实好相应的应变措施。完善定期走访制度，一方面通过定期走访及时发现问题和化解矛盾，另一方面宣传相关法律与政策，对老人加以慰问。

在具体的纠纷调解技巧方面，人民调解员要根据案情灵活运用法治与德治相结合的方法、抓住主要矛盾、动员多种力量协调、换位思考等方法技巧，以及座谈会调解、面对面或者背靠背的调解等方式技巧，达到化解纠纷的目的。

---

[1] 详情可见杜先福："赡养纠纷导致同根相残的悲剧"，载《乡镇论坛》2005年第11期。

案例 8-4

杨某和牛某是家住杨家堡的一对老年夫妻。杨某，男，65岁，生活不能自理，语言功能不全；牛某，女，57岁，双目失明。他们的两个儿子均已成家，老大分家另过，老二与老人同住但单独开火吃饭。杨某3年前患脑血栓瘫痪在床，得病前，靠种地维持夫妻两人的生计，得病后，生活不能自理，丧失劳动能力，靠牛某照顾其生活起居。老两口一个动不了，一个看不见，生活举步维艰，夫妻两人只得将十余亩的土地交给两个儿子侍弄。没有了生活来源，老两口只得找儿子要赡养费，但两个儿子都借口说没钱，好说歹说大儿子才同意每个月给50元，老二一毛不拔。时间久老大看老二不出钱也就不再往家里给钱了。调解员听了老人的诉说，并详细了解情况后，分别找老人的两个儿子进行说服教育。起初，老人的两个儿子不愿意出赡养费，都推说自己生活困难没有钱，调解员走访邻居、群众、村干部，获得了一手资料，了解到情况并不像两个儿子所说的那样，就一而再、再而三地做工作，不厌其烦、晓之以理、动之以情，不仅告诉他们其行为已触犯法律，而且违背伦理道德的要求，孝敬父母是中华民族的传统美德，也是每个子女应尽的义务，不孝敬父母将受到社会的谴责，虐待、遗弃老人是犯罪行为，将受到法律的惩处。在调解员的真诚感召和耐心细致的说服教育下，老人的两个儿子终于认识到了自己的错误，同意赡养老人，给付赡养费。

本案中的调解员主要运用了法治与德治相结合的方法解决纠纷。通过阐述道德的要求，指出当事人的行为是不道德的，父母含辛茹苦将子女培养成人，他们本应报答养育之恩，然而其做法令父母寒心，已经产生而且将可能产生更为严重的不良后果。调解员既坚持了依法调解，又贯穿了道德感化，最终成功调解了这起赡养纠纷。

案例 8-5

2005年7月的一天，家住信南镇的宋大爷精神恍惚地推开了司法所的大门，待工作人员安抚好老人的情绪后，老人诉说了自己的遭遇。原来他和老伴王大妈有两个儿子，大儿子成家后自己盖房另过，二儿子宋某和他们一起生活。老人的赡养费由两个儿子共同承担，每月100元，粮食每年300斤，大儿子每月总能按时支付，但二儿子总不能履行支付赡养费的义务。2004年宋大爷、王大妈万般无奈之下以索要赡养费为由将二儿子宋某告上法庭。判决下来了，却由于种种原因迟迟未执行，养老问题至今未解决，老人只得求助于司法所。

宋大爷讲清事情的缘由后，要求司法所代他写一份起诉书，以新的理由继续状告二儿子宋某。宋大爷说自己和老伴在1982年盖建的现住房是二老的共同财产，没有儿子的份额，起诉强制二儿子宋某夫妇搬出现住房，以房租来换取二老的生活费。

所长了解了老人的意思后，马上联系了老人所在村的书记，了解实际情况。原来老人的二儿子宋某现无工作，近期又出了一起交通事故，赔付了对方相当可观的一笔赔偿金。宋某和妻子安某现在家待业，生活确实有实际困难。

了解了上述情况后，所长又做宋大爷的思想工作，从家庭和睦方面入手。但老人因生活窘迫，情绪激动，铁了心一定要状告二儿子。工作人员为安抚老人激动的情绪，先依据老人的意思为老人免费代书了一份起诉状。而后，又找到老人的儿媳妇安某，宋某与安某的感情相当好，而且安某长宋某几岁，宋某很听安某的话，先做通安某的思想工作更有助于纠纷的解决。所长首先询问了安某的近况，看有没有什么困难需要政府帮助解决，令安某很受感动。而后结合《婚姻法》和《老年人权益保障法》的规定对安某进行说服教育工作。根据《婚姻法》有关规定，子女对父母有赡养义务，无劳动能力或生活困难的父母有要求子女给付赡养费的权利。当子女给付父母的赡养费不足以满足其生活需要时，父母可以要求增加赡养费。告诉安某，他们不支付老人赡养费是极其错误的。进而又告诉安某，赡养包括物质赡养和精神赡养两个方面，不仅仅是给付赡养费那么简单。"百行孝为先"，精神赡养不可缺少，应当亲力亲为，经常探望老人，问候老人，给老人精神安抚。经济有困难是事实，但正是由于他们夫妇做法不妥才导致今日的结局。司法所长希望安某做通丈夫宋某的思想工作，孝顺老人，关爱老人。在司法所长晓之以理、动之以情的思想攻势后，安某同意做丈夫宋某的思想工作，支付二老生活费。回访中调解人员了解到，宋大爷已经撤诉，二儿子宋某每月按期支付赡养费，家庭生活恢复了温馨和睦。

司法所长在调解这起纠纷中就是运用了模糊处理和抓住重点人物并以此为突破口进行调解的方法。当所长看到宋大爷情绪激动，决心起诉宋某之时，没有急于对宋大爷做出解释，而是按老人的意思为其代书了起诉状。另一方面又积极地解决纠纷，化解矛盾。试想，如果宋大爷一来找，所长就急于提出自己的观点，那么老人有可能接受不了，今后的工作就很难进行，也不容易得到群众的信任。先抑后扬，有矛盾不激化，进行冷处理，更有利于纠纷的解决。了解到宋某与安某的生活状况并不乐观，但双方感情很好，且妻子又年长丈夫几岁，在家里说话有分量，针对当事人这些家庭情况，所长抓住了重点人物，利用亲情，以安某为突破口，首先集中力量，采取有效措施，让安某认识到不赡养老人是不对的，表示愿意做通丈夫宋某的工作，共同赡养老人。这个主要矛盾的解决带动和促进了其他矛盾的化解。矛盾解除了，宋大爷也撤诉了，大家恢复了以往的和睦。

五、分家析产纠纷的调解技巧

很多婚姻、赡养、家务、继承乃至债务纠纷是由分家遗留问题引起的：有的口头协议分了家，分家后情况变化而发生争执，但无据可查；有的当时便分得不清，事后发生纠葛；还有的子女在对老人的赡养、债务等问题上引起新的矛盾，不积极履行原调解协议，等等。为有效解决和预防这类纠纷，可采取以下措施：

1. 摸底调查，逐一了解群众中的分家户，分家后闹过矛盾以及可能引起矛盾的户，分析产生矛盾的原因，同村（居）委会研究解决的原则和办法。

2. 宣传法制，讲解补填分家协议书，说明"立字为据"的意义、作用和责任，树立新的家庭、社会道德风尚，把填写和遵守协议书变成群众的自觉行动。

3. 补填分家协议书坚持如下原则：①有赡养关系的，不论分家年限长短，都补填一份协议书；②新分家的都要填写，预防矛盾；③原来已经有协议书的，对有争议的问题进行修正、补充；④协议书依法而立，切实维护老人、妇女和儿童的合法权益；⑤协议书各方当事人都参加，听取每个人的意见，共同形成协议；⑥协议条款明确、清楚、不含糊其词，不留"尾巴"。

第三节　生产经营纠纷的调解技巧

一、生产经营纠纷的概念和特征

生产经营纠纷是指公民之间在生产经营活动中围绕财产权益问题所发生的权利与义务之争。它包括田地、水利、牲畜、农机具、山林果树、滩涂养殖以及一些承包经营、租赁经营、合伙经营等合同纠纷。近年来随着我国农业税费及粮食补贴政策的调整，农民因土地获得收益增多，引发的越来越多的土地纠纷也属于这一范畴。生产经营活动是一项最广泛的社会基本活动，在产、供、销的任何环节发生纠纷,都将会直接或间接地影响生产经营的正常进行,而且往往会引起链锁反应。这类纠纷具有情况复杂,技术性强因而调解难度大,突发性、季节性强、易引发群体性事件等特点。

二、生产经营纠纷的预防措施与调解技巧

针对生产经营纠纷的上述特点,此类纠纷的预防措施主要有:①掌握纠纷规律,搞好定期排查。针对"三夏"、"三秋"纠纷多的特点,县、乡两级要集中人员、集中时间,排查生产中易发生的纠纷,对于存在的普遍性问题,制定相应的规定,合理安排使用水、电、农机具和场园,避免发生直接影响生产的纠纷,严防此类纠纷激化引起群体性事件。②大力宣传有关经济法律、法规,提高群众在生产经营活动中依法办事的自觉性。鉴于目前横向经济往来关系中,已经普遍采用签定合同方式建立联系的实际情况,应当广泛宣传合同法知识,使人民群众明确合同是当事人之间确立、变更、终止民事法律关系的协议,合同一经签定就产生法律效力。通过宣传,教育当事人在签定合同时,应当采取积极而慎重的态度,除即时清结者外,都应当采用书面合同形式,切不可草率行事,以免发生纠纷,造成不良后果。③帮助群众审查、修订完善合同。对过去已经签定的合同要重新进行审查,对条款不完善、不合法的合同,经合同双方当事人协商同意,进行必要的补充、修改、变更或解除。对于合同遗留问题,要积极予以解决,防止矛盾扩大。④积极推广公证、鉴证制度。公证是由国家公证机关对合同的真实性、合法性进行审查后,签署证明的一种制度,鉴证是合同管理机关对合同进行审查监督的一种制度。公证和鉴证的目的,在对于合同的主体资格、内容的合法性、真实性和条款是否齐全、明确、合理进行审查,从而完善合同条款,保证合同的合法性和可行性,起到预防纠纷、减少诉讼,提高经济效益,保护当事人合法权益的作用。

调解生产经营纠纷,应注意以下几个方面:

1. 应本着促进生产、维护当事人合法权益的原则进行调解;

2. 全面深入地进行调查,掌握纠纷的真实情况,为调解工作提供可靠的事实依据;

3. 由于生产经营纠纷情况复杂,牵涉面广,矛盾头绪多,做调解工作不能眉毛胡子一把抓,而是应该抓住主要矛盾焦点展开,以利于提高工作效率;

4. 因生产经营纠纷易引发群体性事件,在依法调解的过程中,要将解决当事人的思想问题和解决实际问题相结合,尤其应采取劝导等措施防止矛盾激化,

维护社会安定。

案例8-6

北京市某县为加快经济的发展，增加经济收入和农民的就业机会，县委、县政府把经国家批准的某经济开发区列为县经济开发区三期工程重点开发，实施该项目需征地6000亩。土地被征用的各村村民大多数都如期腾出了土地，也领到了土地补偿款，惟有李家村村民李某因其承包的4亩土地育植着花木，拒绝交出土地，在花木补偿问题上要求补偿人民币195万元，声称如果达不成协议，就是天皇老子来，自己的4亩土地也不腾出，并且带领全家老小四口坐在开发商的工程车辆前，以此来阻止开发商动工。开发商因其影响自己的开发进程多次找到县镇两级政府，要求尽快给予解决。

为了不使双方的矛盾激化，也为了保证开发规划的如期进行，镇人民调解委员会得知情况后立即赶往了现场。简单地了解了一下情况后，调解员做了一下简单的分工，分头给双方当事人做工作，在调解员的努力下双方当事人的情绪暂时得到了控制，但是在补偿费上仍然各持己见。在调解员的协调下，县征地办同意将花木补偿费由原来的10万元提高到12万元，村里也愿意给李某另找一块土地，作为此花木的移栽用地，原土地上的花木由李某自行移栽或出售。而李某仍然坚持自己的主张，少于195万元不得动用自己的4亩土地。向镇领导简单汇报情况后，调解员决定当天无论如何也要做通李某的工作，为了避免双方当事人发生冲突，经开发商与李某同意，调解员专门从县园林局请来了专家，共同调处此事。园林专家当场对李某的4亩花木做了价格评估（最高值5.95万元），出具了具有法律效力的花木价格评估鉴定书。依据鉴定书，调解员再一次做起了李某的工作，耐心细致地向李某讲解《土地管理法》的有关规定。虽然在《土地管理法》中明确规定土地的承包经营权受法律的保护，同时该法又规定国家建设征用土地，被征地的单位或个人应当服从国家需要，不得阻挠。当土地承包权与国家土地征用权发生冲突时，前者必须服从后者。同时，根据《土地管理法》对征用土地的补偿和安置的规定，青苗按前3年平均产值给予补偿。特别是县园林部门对花木价格的评估是具有法律效力的。县征地办同意补偿的12万元已经远远高出园林部门的鉴定评估价格，并且村委会还同意另找一块土地，作为花木的移栽用地，更是尽情尽理，如果李某还一再坚持自己的意见，耽误工期，将来一旦走上诉讼程序，各方面的损失将使李某得不偿失。

经过4个多小时的说服劝导，李某终于同意了调解员的调解意见，当场签订了以下协议：一、县征地办依据《土地管理法》中关于对被征用土地附着物和青苗补偿标准的有关规定，对李某现有的4亩土地上的花木一次性补偿人民币12万元。二、村委会在三天内给李某另找一块土地进行花木移栽。三、李某在三天内要将土地上的所有花木全部移走，保证三天后按时开工。

对于这起征地纠纷，调解员是运用聘请园林专家评估作价的方法和解决思想问题与解决实际问题相结合的方法来依法调处的。

本起纠纷的焦点在于要求的补偿费过高，开发商无法接受。因此，必须找到一个双方均能接受的数额确定标准。调解员经过开发商和李某同意，专门从园林局请来专家，对李某的4亩花木出具了具有法律效力的花木价格评估鉴定书。由于这一权威鉴定结论所确定的价值明显低于县征地办同意补偿的12万元，再加之调解员的法制宣传，李某最终接受了调解员的调解意见。本案中，调解员请园林专家参与调处纠纷，园林专家协助调解的关键作用在于，花木价格鉴定结论使李某在客观事实面前不得不放弃高额补偿费的要求，这种以事实服人的力量是不能小视的。

这起纠纷发生之初，在调解员的努力协调下，不仅县征地办同意将花木补偿费用由原来的10万元提高到12万元，村里也愿意另给李某找一块土地，作为此花木的移栽用地，原土地上的花木由李某自行移栽或出售。调解员的工作实际上解决了李某今后无地种植花木的实际困难，这也为李某接受12万元的补偿额扫除了障碍。

第四节　财产性纠纷的调解技巧

一、财产性纠纷的概念和特征

财产性纠纷是指由于财产的确认、归属、损害等问题所发生的纠纷。包括因所有权、使用权及债权引起的纠纷。如宅基地纠纷、租赁纠纷、债务纠纷等都属于这一类。财产性纠纷的主要特点是纠纷的复杂性和政策性很强，进行人民调解的工作难度很大。

二、财产性纠纷的预防措施和调解技巧

对此类纠纷的预防措施主要有：①大力宣传《民法通则》和《土地管理法》等相关法律、法规。教育公民遵守《民法通则》规定的基本原则和国家对土地使用的具体规定，明确自己应享受的权利和应承担的义务。②大力宣传和提倡采用书面形式签订合同。合同有口头和书面两种，口头合同有简便、迅速、易行的优点，但是，一旦发生纠纷，难以取证，不易分清责任，不能及时得到处理。近几年发生的债务纠纷中，"君子协定"、"口头合同"占有很大比重。即使是口头合同，最好也要第三者在场见证。这样，就可以避免和减少纠纷的发生，即使有了纠纷，也比较容易解决。③制定必要的规章制度，使群众有章可循。④认真执行债务的担保制度。债的担保是促使债务人履行债务、保障债权实现的一项法律制度。我国《民法通则》规定了四种担保方式，即保证、定金、抵押、留置。认真实行四种担保方式，有利于减少债权债务纠纷。

对财产性纠纷的调解应注意以下几项工作方法或技巧：

1. 调解员应熟悉和掌握相关法律和政策，依法调解是不可忽视的重要原则和方法。

2. 在调解工作中，要认真查明事实真相，通过实地勘测等方法，找到纠纷发生的真正原因，并以此为突破口和基础化解当事人之间的矛盾。

3. 由于这种纠纷常常发生在亲属或乡邻之间，在调解时应发挥感情因素和道德教化的作用，促进人与人之间团结、和谐的关系。

第五节 侵权性纠纷的调解技巧

一、侵权性纠纷的概念和特征

侵权性纠纷是指纠纷的主体一方非法侵害他人的财产权利或人身权利而引起的纠纷。这里讲的侵权性纠纷包含三点含义：①侵权行为必须是违法行为；②侵权行为所侵害的权利是民事权利，主要包括财产所有权、使用权、知识产权、人身权；③侵权行为是需要依法承担民事赔偿责任的行为。侵权行为分为一般侵权行为和特殊侵权行为两种。一般侵权行为是行为人基于过错而造成他人的财产或人身损失，并应由行为人自己承担责任的民事违法行为。特殊侵权行为是相对于

一般侵权行为而言的，指法律直接规定，无须具备一般侵权行为的成立要件就必须就他人人身、财产损害负民事责任的民事违法行为。《民法通则》就侵权损害的赔偿原则、范围和方法等作了原则性的规定。由于此类纠纷的发生导致人身、财产等切身利益的损害，所以矛盾冲突通常比较激烈。

二、侵权性纠纷的预防措施和调解技巧

人民调解组织发现侵权性纠纷要先制止后调解。因为侵权性纠纷发生后，一方当事人往往觉得吃了亏，易动感情，为了出气，又往往采用报复手段，纠集亲朋好友进行械斗。所以发现这类纠纷要先防止事态扩大，然后进行调解。人民调解委员会应当坚持经常排查，及时进行疏导。侵权性纠纷一旦产生，双方当事人之间的隔阂就比较深，调解起来也较困难。因此，要坚持经常性的排查，及早发现苗头，及早进行处理。

调解此类纠纷要围绕以下几项工作进行：

1. 根据侵害的情节轻重，合理进行处理。按照《民法通则》的规定，承担民事责任有十种方式，即停止侵害，排除妨碍，消除危险，返还财产，恢复原状，修理、重作、更换，赔偿损失，支付违约金，消除影响、恢复名誉，赔礼道歉。这十种方式可单独使用，也可以结合使用。但无论对哪种侵害，首先要强调停止侵害，排除妨碍、消除危险。其次是根据侵害的性质，需要返还财产的返还财产，需要恢复原状的责令恢复原状，需要修理、重作、更换的责令修理、重作或更换。无论哪种性质的侵害，凡是需要赔偿的都应当同时责令赔偿损失。

2. 调解员应抓住重点展开调解工作，通常调解侵权性纠纷的重点是赔偿责任的确定。这就需要调解员正确地理解和运用有关赔偿问题的法律规定，分清是非责任，为赔偿数额问题的解决奠定基础。

3. 调解员应适当适用模糊处理的调解技巧。赔偿数额的确定是侵权性纠纷调解中的难点，双方当事人往往在赔偿数额问题上分歧较大，调解员应当以法律为准绳，适当进行模糊处理，尽量使当事人相互理解，从而在赔偿数额上各让一步，最终达成双方都能够接受的赔偿协议。在必要的情况下，调解员还可以聘请专业人士进行价值评估，为数额的确定提供权威的依据，从而使双方当事人更容易接受调解员关于赔偿数额的调解建议。

4. 人民调解组织坚持回访，巩固调解处理的成果。这类纠纷处理后，有些当事人不认真履行调解协议或出现反复，工作人员要及时进行回访，发现反悔苗头和遗留问题，就地调处，防止矛盾再扩大。

案例分析：

【案情简介】

一个雷电交加的夜晚，大成街一带有大约68户居民遭受不同程度的雷击，损毁电视机65台，电话23部、电脑6台、热水器1台、传真机1部。

2004年7月24日，大成街5号楼的居民面对这种灾难性的损失，在焦急等待赔偿的过程中按捺不住心中的怒火，向司法所提出，如果10天之内没有说法，就要联合起来到市政府去示威、静坐。

7月26日，司法所接到群众电器受损的信息后，立即指导社区居委会的主任和人民调解委员会成员分别入户进行调查登记，稳定群众情绪，做好安抚工作。同时又与电信公司、有线电视公司等部门联系，寻求解决问题的办法，并将群众受损的情况积极向政府反映。7月27日，司法所参加了区市政管委会召开的联席会议，汇报了工作进展情况。7月28日，司法所工作人员联系到北京市避雷装置检测中心的技术人员到雷击现场进行鉴定分析。街道办事处主任带领信访办公室主任、居委会主任、房管所的十余名同志到雷击现场的部分居民家中进一步查看情况，做思想疏导工作，有效地制止了上访事件的发生。

8月上旬，司法所工作人员取回北京市避雷装置检测中心的检测分析报告，按照分析报告中的建议，多次同有线电视公司、电信公司、某供电局联系，分别于8月7日、12日、15日在街道调解室与有线电视公司和电信公司两家客户部主任及工程技术人员进行面谈，磋商处理意见。有线电视公司和电信公司在接到司法所通知后均到现场采集样本，进行技术测量，对北京市避雷装置检测中心的检测分析报告提出不同的意见：

1. 有线电视公司认为北京市避雷装置检测中心的检测分析报告比较客观，在采集的18个电视机修理样本中，只有一例被标明是高频头损坏，其余均是电源引发的损坏。因此，有线电视公司的同志说："我们的产品是有源产品，可以避免雷击。"

2. 电信公司技术部张主任说："现场观测电信线路没有遭雷击痕迹，测量避雷装置完好无损，北京市避雷装置检测中心的检测分析报告没有使用检测的设备和检测具体数据说明，不能有力地说明电信部门没有避雷装置，至于居民的电话机毁坏问题，从我们从现场取回的样本检测看，不是线路引雷，而是话机插簧故障，偶然巧合，对于未检测部分，我们可以逐一核实。"

两家共同提出，此次居民区遭受这样大面积的雷击，实属罕见，一定配合政府做好工作，接受政府所提出的意见：一、回去后马上向领导汇报，提出整改意见；二、对损坏的电视、电话积极同居委会联系，尽快进行技术鉴定，凡属于自己责任范围的，也要做好说服工作。

8月15日，某供电局局长办公室主任来电，认为北京市避雷装置检测中心的检测分析报告与某供电局无关，供电局设备有防雷装置，在供电法规上直击雷属无可抗拒的自然灾害，没有赔偿的先例。

面对调解工作进展缓慢的局面，司法所工作人员并没有泄气，根据现场观测到有线电视公司的线路装置和电话线路绑缚在供电线杆上、电话线路混乱等情况，司法所工作人员与两家公司多次进行交涉，协商解决办法。司法所工作人员向两家公司的有关负责同志指出，两家公司存在技术违规等问题，对于这次雷击的损失是存在过错的，应当依法予以赔偿。为了便于说明实际情况，司法所工作人员还用数码相机对现场情况拍摄了照片。两家公司的负责人被司法所工作人员的敬业精神所感动，也承认自身的工作需要改进，两公司均同意对相应的损失进行赔偿或修复。

2004年10月，电信局的领导来到社区，在司法所工作人员的组织下召开了群众会，公开对话机受损户进行赔偿，赔付每户百元的网卡和电话卡。之后，有线电视公司也对受损的电视机进行了修复。2004年11月，司法所工作人员进行了回访，受损居民都对赔偿和修复工作表示满意，认为赔偿数额适当，修复及时且修复后效果不错。一场复杂的群体性纠纷得到妥善解决。

【问题】

1. 说出本案的纠纷调处依据。

2. 为这次的纠纷定性。

3. 为什么这场纠纷能够圆满解决？

没有正义，人们之间的联系就无法通过法律的纽带得以继续。

——奥古斯都

第九章　人民调解协议

第一节　人民调解协议概述

一、人民调解协议的概念与特征

（一）人民调解协议的概念

人民调解协议，是民间纠纷的双方当事人在人民调解委员会主持下，就争执的权利义务关系，依照法律政策达成的一致意见。就性质而言，人民调解协议是一种特殊的民事合同。经人民调解委员会调解达成的、有民事权利义务内容，并由双方当事人签字或者盖章的调解协议，具有民事合同性质。当事人按照约定履行自己的义务，不得擅自变更或者解除调解协议。

（二）人民调解协议的特征

人民调解协议与人民法院裁判、行政机关处理决定和仲裁机关裁决有如下区别：

1. 主体不同。作出判决、裁定的主体，是国家审判机关，作出行政处理决定的主体是国家行政机关，作出仲裁裁决的主体是仲裁机关；人民调解协议的调解主体是人民调解委员会。

2. 适用的范围不同。人民调解协议只适用于法律规定由人民调解委员会调解，双方当事人也愿意提交人民调解委员会调解的民间纠纷。

3. 效力来源不同。人民法院的裁判的效力，来源于国家赋予人民法院的审判权；行政处理决定的效力，来源于国家行政机关的行政管理职能；仲裁机关的裁决的效力，来源于提交仲裁的双方当事人的约定；人民调解协议的效力，来源于协议是双方当事人的一种民事法律行为。

4. 效力等级不同。人民法院的裁判、行政机关的处理决定、仲裁机关的裁决都具有法律约束力。如仲裁一经作出，不仅具有确定力，还具有执行力。法院所作裁决，如果当事人未在法定期限内提起上诉，同样也具有确定力和执行力，对于行政处理决定，大多数国家也有明确规定，如在一定期限内当事人既不履行义务，又不提起诉讼，也将产生相应的确定力和执行力。[1] 而人民调解协议达成后，虽然对双方当事人都具有法律的约束力，但不具有直接申请人民法院执行的效力。要想使调解协议获得执行力，必须向人民法院提起诉讼。

二、人民调解协议的效力

（一）人民调解协议的效力

对于人民调解协议是否具有效力，理论上历来有肯定说和否定说这两种相左的观点存在。

肯定说认为人民调解协议具有法律效力，其主要理由有：

1. 调解协议实质上是传统民法上的和解合同，是一种无名合同，与《合同法》规定的 15 种有名合同一样，是平等主体之间设立、变更、终止民事权利义务关系的协议。不能因为有调解员主持参与就改变其法律性质。调解员不是仲裁员，更不是法官，当事人在调解员居间调解下，处分的是自己的私权，所达成的协议应具有合同的法律效力。[2]

2. 调解协议是对当事人之间存在的法律关系的重新确定，是当事人真实意思的表示，因此达成的协议是一种合法的法律行为，应具有法律约束力。

3. 调解委员会作出的调解协议如不具有法律效力，势必影响调解机构职权的行使。

否定说认为人民调解协议不具有法律效力，持否定意见的理由是：

1. 如果人民调解协议具有法律效力，实际上等于把执法的权能授予了一个群众性自治组织，在理论上说不通，且有损于法律尊严。

---

〔1〕 江伟、廖永安："简论人民调解协议的性质与效力"，载《法学杂志》2003 年第 2 期。
〔2〕 胡泽君："人民调解工作的改革与发展"，载《国家行政学院学报》2003 年第 6 期。

2. 调解协议是建立在当事人自愿基础上的，如果强求当事人履行协议，必然同人民调解工作的本质特点与基本原则相悖。

3. 多数调解人员文化水平较低，法律知识欠缺，调解协议内容的合法性可疑，如果强迫当事人履行，势必损害法律严肃性。

4. 人民调解协议与《合同法》所调整的合同存在着诸多不同之处：①人民调解协议所涉及的纠纷的范围已超出了《合同法》所调整的合同的范围。人民调解协议是当事人之间就已发生的民事纠纷而自愿达成的协议，其不仅是解决民事纠纷方面的协议，而且还有非民事法律关系的、纯属道德问题方面纠纷的协议，有些属于轻微刑事违法行为引起的纠纷的协议。[1] 而《合同法》所称的合同，是平等主体的自然人、法人、其他组织之间设立、变更、终止民事权利义务关系的协议。②一般民事合同一旦被撤销，或被宣告无效，其法律后果是返还财产或赔偿损失，而人民调解协议一旦被撤销或被宣告无效，原纠纷依然存在，当事人仍可就原有的争议的法律关系向人民法院提起诉讼。[2] ③一般民事合同的标的是基于一定的民事法律事实所产生的民事权利义务，其目的在于设立、变更或终止民事权利义务关系。而人民调解协议的对象，是一定法律关系所生之争执，故争议法律关系是调解协议客体，其目的在于解决彼此争端，从而达到确定民事权利义务的目的。④从法院管辖的确定来看，一般的民事合同争议由被告住所地和合同履行地法院管辖，而调解协议一旦发生争执，基于人民法院对调解组织的指导和监督，当事人只能向调解所在地人民法院提起变更或者撤销之诉。⑤作为解决争议的一种形式，与仲裁委员会作出的裁决书、法院作出的调解书等一样，人民调解协议也是经过一定程序合成的结果，不宜将其视为一种民事实体法律关系。⑥作为一种民事合同，从纠纷解决的角度而言，当事人的民事权利义务只是暂时确定了，时刻有引发纠纷的可能，将人民调解协议视为一种民事合同，有违效率原则。[3] 基于上述理由，有学者认为将人民调解协议视为一种民事合同是不妥当的。

但在实践中，由人民调解委员会主持经双方当事人自愿协商达成的调解协议在过去被视为无效协议，缺乏法律强制力的保证，其履行有赖于诚实信用的道德

---

〔1〕 陈楚天："人民调解制度与人民调解协议的再完善"，载《齐齐哈尔大学学报哲学社会科学版》2004年第5期。

〔2〕 陈楚天："人民调解制度与人民调解协议的再完善"，载《齐齐哈尔大学学报哲学社会科学版》2004年第5期。

〔3〕 江伟、廖永安："简论人民调解协议的性质与效力"，载《法学杂志》2003年第2期。

原则和社会舆论的压力，当事人可以任意反悔，不履行协议而向人民法院起诉，这给当事人、人民调解委员会乃至整个社会造成不良影响，也增加了人民法院的负担。根据《法律年鉴》的资料统计，在20世纪80年代，调解与诉讼的比例约为10∶1（最高时达17∶1），到2001年却降至1∶1，从而与法院的案件快速上升以及世界ADR纠纷解决机制的蓬勃发展，形成了鲜明的对比。其中的一个重要原因，是法律对于人民调解协议的效力缺乏明确规定。[1] 根据我国《民事诉讼法》和《人民调解委员会条例》的规定，人民调解委员会依照法律规定，根据自愿原则进行调解。当事人对调解达成的协议应当履行，不愿调解、调解不成或者反悔的，可以向人民法院起诉。这一规定导致普通公民乃至法官对人民调解协议采取否定的效力评价，将其视为只能约束"君子"，不能约束"小人"的"君子协定"，如果纠纷当事人不顾社会信誉，对调解协议予以反悔，不按调解协议方式履行义务，调解人员进一步做工作又无效，调解组织和调解人员以及对方当事人都无能为力，后者只能向人民法院提起诉讼以解决争议。这就动摇了当事人对调解组织的信任，致使许多纠纷久拖不决。

正是基于上述背景，最高人民法院于2002年9月5日通过了《关于审理涉及人民调解协议的民事案件的若干规定》，首次明确了人民调解协议具有民事合同的性质。根据该规定第1条，"经人民调解委员会调解达成的、有民事权利义务内容，并由双方当事人签字或者盖章的调解协议，具有民事合同性质。当事人应当按照约定履行自己的义务，不得擅自变更或者解除调解协议。"最高人民法院和司法部的这一举措，赋予人民调解协议以一定的法律效力，初步实现了人民调解制度和诉讼制度的对接。

从这一规定也可以看出，符合下列四个条件的人民调解协议，具有民事合同性质：①主持调解的必须是人民调解委员会。②调解协议必须具有民事权利义务内容。③调解协议的形式是书面协议。④双方当事人签字或者盖章。

符合上述四个条件的人民调解协议具有民事合同性质，因为它符合《合同法》第2条关于民事合同的定义，具备民事合同的基本特征：①协议双方主体地位平等。②协议的内容是关于民事权利义务的约定。③协议双方当事人意思表示一致。

人民调解协议的法律效力主要体现在以下两个方面：

（1）具备合同效力。根据合同自由原则，民事合同只要真实地反映了双方

---

〔1〕 江伟、廖永安："简论人民调解协议的性质与效力"，载《法学杂志》2003年第2期。

当事人的意志且不损害社会公共利益和他人合法权益，就具有法律强制力。当事人应当按照协议内容履行自己的义务。

（2）人民调解协议不具有强制执行的效力。因为民事合同本身不具有强制执行的效力，当事人之间发生纠纷后，不能直接申请强制执行，只能向人民法院起诉，通过诉讼程序解决，所以有效的人民调解协议亦不具有强制执行的效力。具有债权内容的调解协议，公证机关依法赋予强制执行效力的，债权人可以向被执行人住所地或者被执行人的财产所在地人民法院申请执行。[1]

由上述规定可见，最高人民法院的司法解释虽然在一定程度上强化了人民调解的法律效力，但对当事人的约束仍然十分有限。若要提高人民调解的社会公信力，进一步强化人民调解协议的效力是很必要的。

（二）人民调解协议的有效条件

根据最高人民法院《关于审理涉及人民调解协议的民事案件的若干规定》第4条的规定，具备下列条件的，调解协议有效：①当事人具有完全民事行为能力；②意思表示真实；③不违反法律、行政法规的强制性规定或者社会公共利益。

因此，人民调解协议必须同时具备上述三个条件才有法律效力，三者缺一不可。但这并不意味着人民调解协议必须一律经过人民法院认可才开始发生法律效力。人民调解协议只要符合上述三个条件，一经双方当事人签字或者盖章即在双方当事人之间发生法律效力，对当事人具有约束力，只有在当事人就人民调解协议发生争议诉至人民法院才会产生依法审查调解协议效力的问题。

案例 9-1

2004年9月25日，浙江温岭滨海镇居民颜冬生、陈彩云的女儿颜艳因病前往乡村医生尚冬友家就诊，经过治疗，颜艳于当晚24点左右回家。翌日早晨，颜艳在被送往温岭市第二人民医院途中死亡。双方因此而产生纠纷。经滨海镇人民调解委员会的调解，双方达成了协议。协议书写明：不再追查颜艳的死因；赔偿、资助颜艳家属28万，共分三期支付。9月27日，尚冬友支付了第一期赔款10万元，颜艳的尸体随后未经解剖就火化了。尚冬友以该协议不公平为理由，

---

〔1〕 参见最高人民法院《关于审理涉及人民调解协议的民事案件的若干规定》第10条。

拒绝支付第二、三期的赔款。第二、三期的赔款履行期限届满后，尚冬友仍未支付相应款项。2004 年年底，颜冬生、陈彩云将尚冬友告上了温岭市人民法院，要求其按协议履行赔偿的义务。此案诉至法院后，双方辩论的焦点在于所达成的调解协议是否公平。法院经审理认为，原告方作为受害人，缺乏相应的医学知识，在纠纷中处于劣势。相比较而言，被告对造成颜艳死亡的原因及引起该纠纷造成的后果等具有较为理性的判断，因此，调解协议书是其权衡利弊后的慎重之举，是其真实意思的表示，不符合"显失公平"的法律特征。针对被告提出的诊疗行为没有过错、要求撤销调解协议的主张，法院认为，关于颜艳的死因，双方已达成了调解协议，当时没有进行求证，现在已无法求证，被告的要求有违诚实信用原则。法院判决被告支付拖欠原告的赔款 18 万元并承担案件受理费。

（三）人民调解协议的无效、撤销与变更

根据最高人民法院《关于审理涉及人民调解协议的民事案件的若干规定》第 5 条的规定，有下列情形之一的，调解协议无效：①损害国家、集体或者第三人利益；②以合法形式掩盖非法目的；③损害社会公共利益；④违反法律、行政法规的强制性规定。人民调解委员会强迫调解的，调解协议无效。

在适用上述规定时，应注意掌握以下的规则：

1. 对国家利益、集体利益的理解不能随意化，不能把国有企业的利益、银行的利益、某些国家机关的利益错误地理解为国家利益；不能把集体经济组织的利益片面地理解为集体利益。特别是在一方当事人为自然人而另一方当事人为国有企业时，以所谓保护集体利益为由损害自然人的合法权益。因为对各种民事主体实行平等保护是民事法律的基本要求。

2. 要正确理解社会公共利益。在西方国家的民事立法中，常常规定合同内容不得违反"公共秩序和善良风俗"。而实践中确实有些合同的内容损害的不是国家、集体或者第三人利益，国家现行法律、行政法规也没有对这一行为作出明确的禁止性规定，但确实违反了社会公共利益和善良风俗，应在禁止之列，但我国现行民事立法中还未有"公共秩序和善良风俗"的提法，该条款中依然沿用了《民法通则》和《合同法》中"违反社会公共利益"的提法。在理解和适用该条时，对司法解释中的"社会公共利益"应作扩大解释，实际上包含了公共秩序和善良风俗。

3. 不得擅自扩大对"违反法律、行政法规的强制性规定"的解释。只有违

138

反法律、行政法规的禁止性规定，才是调解协议无效的情形之一，因此，不能以合同中存在违反法律授权性规定和倡导性规定为由，认定该合同因违法而导致无效。

根据最高人民法院《关于审理涉及人民调解协议的民事案件的若干规定》第6条的规定，下列调解协议，当事人一方有权请求人民法院变更或者撤销：①因重大误解订立的；②在订立调解协议时显失公平的。一方以欺诈、胁迫的手段或者乘人之危，是对方在违背真实意思的情况下订立的调解协议，受损害方有权请求人民法院变更或者撤销；当事人请求变更的，人民法院不得撤销。

这里所谓的调解协议的变更，仅指内容的变更，即对调解协议所约定的当事人双方的权利义务作出调整，而不涉及主体的变更，即不涉及变更双方当事人。

因调解协议显失公平或因重大误解而订立调解协议等原因而遭受不利的一方当事人是撤销权人。撤销权人行使撤销权，应当向人民法院提起撤销调解协议的诉讼。不通过向人民法院提起诉讼的方式行使撤销权，而是单方面向对方当事人主张撤销调解协议的，不能发生撤销调解协议的法律效力。

根据最高人民法院《关于审理涉及人民调解协议的民事案件的若干规定》第7条的规定，有下列情形之一的，撤销权消灭：①具有撤销权的当事人自知道或者应当知道撤销事由之日起一年内没有行使撤销权；②具有撤销权的当事人知道撤销事由后明确表示或者以自己的行为放弃撤销权。

无效的调解协议或者被撤销的调解协议自始没有法律约束力。调解协议部分无效，不影响其他部分效力的，其他部分仍然有效。[1]

三、调解协议的诉讼时效

调解协议的诉讼时效，适用《民法通则》第135条的规定。[2]

原纠纷的诉讼时效因人民调解委员会调解而中断。

调解协议被撤销或者被认定无效后，当事人以原纠纷起诉的，诉讼时效自调解协议被撤销或者被认定无效的判决生效之日起重新计算。[3]

---

[1] 参见最高人民法院《关于审理涉及人民调解协议的民事案件的若干规定》第8条。

[2] 《民法通则》第135条的规定：向人民法院请求保护民事权利的诉讼时效期间为二年，法律另有规定的除外。同时《民法通则》第136条规定："下列的诉讼时效期间为一年：（一）身体受到伤害要求赔偿的；（二）出售质量不合格的商品未声明的；（三）延付或者拒付租金的；（四）寄存财物被丢失或者损毁的。"

[3] 参见最高人民法院《关于审理涉及人民调解协议的民事案件的若干规定》第9条。

第二节　人民调解协议书

一、人民调解协议书概述

所谓调解协议书，就是由人民调解组织制作的，在纠纷当事人自愿、合法地达成解决纠纷的协议后，予以认可而制作的具有民事合同性质的法律文书。根据《人民调解工作若干规定》第34条的规定，经人民调解委员会调解解决的纠纷，有民事权利义务内容的，或者当事人要求制作书面调解协议的，应当制作书面调解协议。

调解协议应当载明下列事项：

1. 双方当事人基本情况；

2. 纠纷简要事实、争议事项及双方责任；

3. 双方当事人的权利和义务；

4. 履行协议的方式、地点、期限；

5. 当事人签名，调解主持人签名，人民调解委员会印章。

调解协议由纠纷当事人各执一份，人民调解委员会留存一份。[1]

二、人民调解协议书的作用

1. 具有增强人民调解协议的严肃性，促使调解协议更好履行的作用。

2. 具有确认双方当事人享有某种权利和承担某种义务的作用。

3. 具有证明取得权利，承担义务的时间和计算时效的作用。

4. 具有提请调解组织催促对当事人履行义务或向人民法院提起诉讼的证据作用。

三、调解协议书的制作

（一）调解协议书的格式

1. 首部。首部应写明调解纠纷的人民调解委员会的全称、标题、纠纷编号，

---

〔1〕　参见《人民调解工作若干规定》第35条。

双方当事人的基本情况，申请调解的时间、案由及主持调解的调解员姓名和调解的时间等。

（1）标题，写明 XX 人民调解委员会调解协议书。

（2）纠纷号，写明（　　）X 民调字第 X 号，括弧里填年份，第一个"X"代表制作该"协议书"的调解委员会的简称，第二个"X"代表纠纷的顺序号。

（3）当事人基本情况，写明申请调解人与被申请调解人的姓名、性别、年龄、民族、职业以及住所、当事人一方系企事业单位、社会组织时，要写明单位全称、地址、法定代表人、主要负责人姓名、职务。如果是人民调解委员会主动调解的，对纠纷双方应称"当事人和对方当事人"，而不是"申请调解人和被申请调解人"。

（4）有关程序的基本情况。即写明受理纠纷的日期；调解主持人和其他参加调解的人民调解员的姓名和协助调解的人员的姓名；是否已告知当事人人民调解的性质、原则和效力；调解日期、地点；当事人是否申请回避，人民调解委员会对此如何处理，等等。

2．正文。

（1）当事人的主张及理由，主要应写清纠纷事实与争议的焦点。

（2）调解员认定的事实，要写明认定争议事实所依据的证据以及在证据基础上对事实的结论。

（3）调解理由。主要应说明调解所依据的法律、政策或社会道德规范。

（4）调解结果，即当事人最终达成协议的具体内容。在分列协议具体内容之前应写上"依据当事人平等、自愿、充分协商达成如下协议"这句话，以突出对当事人意思自治的尊重。至于协议条款，根据《人民调解工作若干规定》第 35 条的规定，务必涵盖责任的承担、当事人的权利义务、履行协议的方式、地点以及期限等内容。

3．尾部。

（1）告知当事人有应当履行协议规定的义务，即写明"除非出现法律规定的情形，当事人应当自觉履行本协议"。

（2）告知当事人应当享有的程序权利，即写明"对于达成调解协议后又反悔的或对方当事人无正当理由拒不履行协议的，一方当事人可以及时请求基层人民政府处理或者在两年内向有管辖权的人民法院提起诉讼。"

（3）调解主持人和其他参加调解的人民调解员署名，调解委员会盖章。

（4）注明年、月、日。

（二）调解协议书的文字

文字既要简明、准确、肯定，又要将事实、争议的理由、约定的权利义务概括清楚，并且要正确地反映出双方当事人的思想认识。在人民调解协议书的语言风格方面，调解协议书的遣词用句应反映出自愿的语气，而不能使用强制性、命令性的语气。如"张某欠王某一千元整，限在调解生效后十五日内一次付清"。这里"限在"具有命令的意思，在人民调解协议书中出现这种用语显然不妥，应将其改为"于"。

（三）协议书要由双方当事人签字

在当事人对协议的文字表述无异议后，应向其说明协议书签字后即具有法律约束力，双方都必须严格履行，不履行协议要承担违反协议的责任，并再给他们一个慎重思考、权衡的机会。

第三节 人民调解协议的履行、回访和变更

在调解人员主持下，当事人自愿按照协议规定的内容，履行所负义务的行为，叫调解协议的履行。人民调解协议的履行有自觉履行和说服教育履行两种。

一、人民调解协议的履行

（一）当事人应当自觉履行调解协议

促成当事人自觉履行协议的因素，有下列几个方面：

1. 出于对党、对国家的尊重和信赖；
2. "重协议、守信用"的传统美德、诚实信用的道德原则；
3. 我国人民"和为贵"的传统观念，是促使人民调解协议自觉履行的重要心理因素；
4. 人民调解组织自身的性质，也是决定调解协议能够自觉履行的重要原因；
5. 调解人员的信用、威望，也是促使调解协议能够自觉履行的重要因素；
6. 社会舆论对当事人所造成的心理压力。

自人民调解制度建立以来，依靠当事人自觉履行调解协议，解决了成千上万

的争执，使人民调解工作在革命和建设的各个历史时期都发挥了重要作用。但是，随着形势的发展和法制的不断完善，人民调解协议仅依靠当事人自觉履行，没有法律的保障，已越来越不适应形势的需要。为更好地发挥人民调解制度的作用，在强调调解协议自觉履行的同时，最高人民法院的司法解释赋予了人民调解协议以必要的法律保障，以保证达成的协议能够得到全面履行。

然而，纠纷的各方当事人对调解达成的协议往往持有不同的利益，协议的达成就意味着某一方当事人的利益让渡，因而难免有当事人尽量避免或推延纠纷的解决，或者对已经达成的协议持消极的态度，对于前一种情况，调解人员有必要利用自己的影响力设法说服对方作出积极的回应；对于后一种情况，则应督促当事人实际履行调解协议。

（二）在调解协议履行中，人民调解组织应发挥积极作用

调解协议的履行，应在调解人员的主持下进行。达成协议后，调解人员迅速转入促进履行阶段，督促当事人履行协议。例如自我检讨、赔礼道歉、保证改过等内容的协议，可以在达成协议的现场，当即履行。对于需要一定时间才能完成的协议内容，如返还原物、恢复原状、赔偿损失、提供劳务等，能当日履行的尽量当日履行；如不能当日履行，当事人必须作出承诺，保证在一定期限内履行。人民调解委员会应当对调解协议的履行情况适时进行回访，并就履行情况做出记录。[1]

当事人不履行调解协议或者达成协议后又反悔的，人民调解委员会应当按下列情形分别处理：

1. 当事人无正当理由不履行协议的，应当做好当事人的工作，督促其履行；

2. 如当事人提出协议内容不当，或者人民调解委员会发现协议内容不当的，应当在征得双方当事人同意后，经再次调解变更原协议内容；或者撤销原协议，达成新的调解协议；

3. 对经督促仍不履行人民调解协议的，应当告知当事人可以请求基层人民政府处理，也可以就调解协议的履行、变更、撤销向人民法院起诉。[2] 对当事人因对方不履行调解协议或者达成协议后又反悔，起诉到人民法院的民事案件，原承办该纠纷调解的人民调解委员会应当配合人民法院对该案件的审判工作。[3]

---

〔1〕 参见《人民调解工作若干规定》第36条第2款。
〔2〕 参见《人民调解工作若干规定》第37条。
〔3〕 参见《人民调解工作若干规定》第38条。

二、人民调解协议的回访

回访是指人民调解委员会主持达成调解协议后，适时派员了解、掌握、检查调解协议履行情况，听取当事人和有关群众的意见，巩固调解成果。根据《人民调解工作若干规定》第 36 条第 2 款的规定，调解委员会对于达成调解协议的民间纠纷，应当建立回访制度，由调解员对协议的履行情况进行回访，并对履行情况做出记录；对于当事人无正当理由不履行协议的，由调解员做当事人工作，督促当事人履行协议，对督促后仍不履行协议的，告知当事人到法院起诉；若当事人提出协议内容不当，或调解组织发现协议内容不当的，在征求当事人双方同意后，达成新的调解协议。

回访的意义和作用在于：

1. 通过回访，可以及时了解情况，总结调解经验和改进调解方式、方法。

2. 通过回访，可以及时发现并采取措施解决可能出现的新情况、新问题，使纠纷得到彻底的化解。

3. 回访工作是对群众进行法制宣传教育的重要方式之一。

回访的内容主要是：了解协议的执行情况，影响协议履行的隐患；了解当事人特别是重点人的思想状况、行为有无反常，对调解协议的态度等；有无新的纠纷苗头；对调解人的意见、建议。

要做好回访工作，必须坚持以下几点：

1. 必须坚持实事求是的原则。要本着对当事人负责的精神，认真进行，讲求实效，不走过场。对调解工作中的问题要加以纠正。

2. 回访工作必须及时。人民调解委员会要在调解协议达成后的适当时间内派员进行回访，以便及早发现和解决新出现的情况和问题，减少工作中失误的影响扩大。

3. 回访应当有重点地进行。对那些比较复杂、疑难的纠纷，或者协议的履行有一定难度的纠纷，或者当事人思想情绪尚不稳定、容易出现反复的纠纷，要列为重点回访的对象，坚持适时回访。

4. 回访必须注意发现问题，加强对当事人的说服教育工作。如当事人思想出现反复，或是有些问题尚未落实的，或是未能完全履行协议的，调解人员都应当及时发现，针对不同情况及时采取措施加以解决。

三、人民调解协议的变更

人民调解协议一经达成后，当事人双方就应当自觉履行，不得擅自变更或者

144

解除。但实践中，由于客观条件的复杂性和情况的不断变化，以及调解人员和当事人的主观条件限制，在调解过程中难免出现疏漏，比如对纠纷的主体、事实认定有误，调解时适用的法律、法规不当等等，这时就需要对协议的部分甚至全部内容进行修改和变更。变更后的人民调解协议是各方当事人自愿了结该事项的部分争议或全部争议，自主变更或处分民事权利，重新确认权利义务关系的结果，符合法律规定的合同变更的本质要件。

人民调解协议的变更，主要是指协议双方权利、义务的变更，即标的的种类、品种、规格、数量、质量等的变动，以及履行协议的时间、地点、方式或者其他权利、义务的变更。

根据《人民调解工作若干规定》第 37 条的规定，调解协议的变更，一是调解人员在回访中发现原来的协议有错误或不当之处而提出变更，二是当事人认为原调解协议有不当之处而要求变更。无论是哪种情况，都要尊重当事人的意愿，在取得双方当事人同意的基础上，进行重新调解。经重新调解，对调解协议进行修改或者撤销原调解协议，达成新的调解协议并进行登记。

人民调解协议变更的后果是在当事人之间形成了新的权利义务关系，要求当事人按这种新的关系行使权利和履行义务。同时，原调解协议所确立的权利义务关系自然失去效力。

思考题：

1. 什么是人民调解协议？哪些协议是无效的？

2. 调解协议书有什么作用？其制作应注意哪些问题？

3. 张某与邻居李某打了一架。打斗中李某的右手被张某打折。在当地的人民调解委员会的调解下，双方达成了赔偿协议，由张某赔偿李某 500 元。事后，李某共花医疗费 1000 元。为此，李某反悔，认为张某所赔偿的 500 元仅是实际医药费的一半，该调解协议显失公平，村里的调解协议不具有法律效力，要到法院起诉张某。此事应如何处理？

主要参考书目

1. 沈恒斌主编:《多元化纠纷解决机制原理与实务》,厦门大学出版社 2005 年版。

2. 吕品等:《人民调解工作的方法与技巧》,中国法制出版社 2003 年版。

3. 〔日〕棚濑孝雄著,王亚新译:《纠纷的解决与审判制度》,中国政法大学出版社 2004 年版。

4. 杨四安主编:《司法口才》,中国政法大学出版社 2005 年版。

5. 林华章主编:《应用口才教程》,法律出版社 2006 年版。

6. 梁德超主编:《人民调解学》,山东人民出版社 1999 年版。

7. 林语堂:《怎样说话与演讲》,文化艺术出版社 2004 年版。

8. 最高人民法院民事审判第一庭、司法部基层工作指导司编著:《〈关于审理涉及人民调解协议的民事案件的若干规定〉、〈人民调解工作若干规定〉讲话》,中国科学出版社 2002 年版。

图书在版编目(CIP)数据

新编人民调解工作技巧 / 王红梅编著. —北京:中国政法大学出版社,
2006.5
ISBN 7 – 5620 – 2918 – 0

Ⅰ.新... Ⅱ.王... Ⅲ.民事纠纷 – 调解(诉讼法) – 基本知识 – 中国
Ⅳ.D925.114

中国版本图书馆 CIP 数据核字(2006)第 047342 号

出版发行　中国政法大学出版社
经　　销　全国各地新华书店
承　　印　固安华明印刷厂

787 × 960　16 开本　10.125 印张　170 千字
2006 年 6 月第 1 版　　2006 年 6 月第 1 次印刷
ISBN 7 – 5620 – 2918 – 0/D·2878
定价:22.00 元

社　　址　北京 100088 信箱 8034 分箱　中国政法大学出版社
邮　　编　100088
电　　话　(010)58908325(发行部)　58908335(储运部)
　　　　　 58908285(总编室)　58908334(邮购部)
电子信箱　zf5620@263.net
网　　址　http://www.cuplpress.com　(网络实名:中国政法大学出版社)
声　　明　1.版权所有,侵权必究。
　　　　　 2.如有缺页、倒装问题,由本社发行科负责退换。

本社法律顾问　北京地平线律师事务所